Narratori ◄ Feltrinelli

Giacomo Papi

Il censimento dei radical chic

© Giangiacomo Feltrinelli Editore
Prima edizione ne "I Narratori" gennaio 2019
Ottava edizione luglio 2019
Published by arrangement with The Italian Literary Agency

L'estratto a pagina 82 è tratto da Fruttero & Lucentini, *La prevalenza del cretino*,
Mondadori, Milano 1985.
I versi di Philip Larkin a pagina 93 sono tratti da *Collected Poems*,
Farrar Straus and Giroux, New York 2001
L'estratto a pagina 125 è tratto da Martin Heidegger, *Saggi e discorsi*,
a cura di Gianni Vattimo, Mursia, Milano 1976.

Stampa Grafica Veneta S.p.A. di Trebaseleghe - PD

ISBN 978-88-07-03335-3

Questo libro è scritto in lingua italiana semplificata.
Nel testo compaiono 32.993 parole di cui 31.980 di uso quotidiano e comprensibili a tutti. Tutti i test lo hanno confermato.
Delle rimanenti 1.013 parole:
– 612 sono termini comuni nel linguaggio scritto, ma più rari nel parlato. In mancanza di alternative praticabili la Commissione esaminatrice, presieduta dal Funzionario Redattore Capo Salvo Pelucco (II sez.), ha ritenuto di mantenerli;
– 87 sono termini tecnici o specialistici privi di sinonimi, e in quanto tali non eliminabili; nel testo compaiono, infine, le 314 parole proibite del "Primo elenco provvisorio popolare delle parole vietate, sconsigliate o abolite della lingua italiana semplificata", ma solo a titolo esemplificativo.
Il testo finale è stato approvato dall'Autorità Garante per la Semplificazione della Lingua Italiana in conformità al DL, 17/06, n. 1728.

I fatti narrati in questo libro accadranno.

www.feltrinellieditore.it
Libri in uscita, interviste, reading,
commenti e percorsi di lettura.
Aggiornamenti quotidiani

IL RAZZISMO
È UNA
BRUTTA STORIA.
razzismobruttastoria.net

Il censimento dei radical chic

1.

Il primo lo ammazzarono a bastonate perché aveva citato Spinoza durante un talk show. In effetti da parte del professor Giovanni Prospero era stata un'imprudenza aggravata dal fatto che si era presentato in studio indossando un golfino di cachemire color aragosta. La citazione gli era scappata di getto nella foga del dibattito, per tentare di alzarne il livello. Si rese conto all'istante di avere commesso un errore: il pubblico ammutolì e il sorriso del conduttore, di solito così cordiale, si irrigidì in una smorfia ostile:

"Nel mio programma," disse, "non permetto a nessuno di usare parole difficili. Le pose da intellettuale sono vietate." Dopo una pausa ostentata, il conduttore aggiunse: "Questo è uno show per famiglie e chi di giorno si spacca la schiena ha il diritto di rilassarsi e di non sentirsi inferiore".

Il pubblico esplose in un applauso entusiasta in cui si mischiavano rabbia e liberazione. Sembrava che ai presenti si fossero moltiplicate le mani. Prospero provò a difendersi, a spiegare, e cercò di riformulare la frase nel modo più semplice possibile:

"Volevo solo dire che, se non si sforza di ragionare, il popolo diventerà schiavo del primo tiranno".

Purtroppo ottenne l'effetto contrario: il pubblico cominciò a battere i piedi e a gridare "buuuu" in segno di disapprovazione. Dallo schermo, il ministro dell'Interno rincarò la dose schifato:

"Si vergogni! Lei fa citazioni mentre il popolo muore di fame".

Quando Giovanni Prospero uscì dallo studio, il tramonto iniziava. Uno stormo grandioso incrociava nel cielo, comparendo e svanendo dietro i tetti e tra gli alberi. Erano storni, che di solito, a quanto ne sapeva il professore, migravano in autunno non in primavera, ma non ne era sicuro e tutto nel mondo stava cambiando. Gli uccelli inventavano forme geometriche che assomigliavano a balene e baleniere, farfalle giganti con le ali a puntini o cascate di biglie rovesciate per terra; poi sfaldavano quei disegni appena tracciati per ricomporne di nuovi, sfiorandosi come se a ognuno di loro fosse stata assegnata un'orbita fissa e irripetibile destinata a non scontrarsi mai con la rotta di volo degli altri. Il profumo dei tigli si diffondeva nell'aria. Prospero respirò con le narici fino in fondo ai polmoni, pensando che la bellezza del mondo è complicata e che per esprimerla occorrono conoscenze e parole complesse. Lui non ci voleva andare in televisione, era stato il suo amico Cesare a convincerlo: "Oggi per noi la presenza è un dovere", gli aveva detto al telefono. Prospero aveva passato la giovinezza sui libri, e attraverso lo studio era riuscito a sollevarsi dalla modesta condizione della sua famiglia di origine e a conquistare rispetto e una certa sicurezza economica. Forse era vero, ormai lo dicevano tutti, in ogni angolo d'Europa, che la conoscenza è una pretesa arrogante, però lui, studiando, aveva compreso che alla fatica subentra spesso il piacere e che il sapere si schiude come fanno i fiori, facendo diventare semplici pensieri prima incomprensibili.

Raggiunse casa che erano quasi le 22. Prima di infilare le

chiavi nella serratura del portone si voltò per ammirare un'ultima volta il cielo, che intanto si era fatto buio. Gli storni erano scomparsi e al loro volo collettivo si era sostituito quello isolato e zigzagante dei pipistrelli. Entrò nell'androne e cercò l'interruttore, ma doveva esserci stato un black-out perché la luce non si accese. L'ascensore era rotto da una settimana. Si incamminò a piedi, utilizzando la torcia del telefonino. Abitava al terzo piano in un appartamento di tre stanze più servizi in cui, da quando la figlia se n'era andata, gli sembrava di perdersi. Per fortuna era affollato di libri che dalle pareti, l'uno sull'altro, modellavano lo spazio intorno alla sua vita e la popolavano di parole possibili. Sfiorò con il polpastrello l'icona del flash sul telefonino e, nell'istante in cui le scale si illuminarono, si accorse che stava ricevendo centinaia di notifiche, piccole pustole rosse rigonfie di numeri enormi, impensabili. Pensò che la tv era ancora uno strumento potente e la cultura interessava ancora a qualcuno. Cominciò a leggere pieno di speranza, cercando con i piedi gli scalini per non inciampare.

Adesso veniamo a prenderti, buonista cazzone. @giolia71
Miserabili intellettuali, mi fate schifo! @Lindackty
Dicci chi ti paga. @gayfaulkes1
Muori tu e quel culattone di Spinozza! @falqui987

Erano centinaia e centinaia, una sequenza sterminata di insulti che si affastellavano, uno in fila all'altro. Giovanni Prospero aveva il fiatone ormai, ma non sapeva distinguerlo dalla paura. Era arrivato al piano, il telefonino nella destra, la sinistra che cercava nella tasca della giacca le chiavi. Ansimava. La tasca era vuota. Il professore passò il telefono nella sinistra, ma sfiorò il flash che cominciò a pulsare. La luce si accese e si spense per tre volte. Poi tutto diventò buio. Fece un passo verso la porta e il suo piede urtò un ostacolo. Provò

a tornare indietro, verso le scale, ma si scontrò contro qualcosa che era molle come un corpo, ma fermo come un muro.

Lo uccisero a calci, pugni e sprangate sul pianerottolo di
casa, senza che nessuno dei vicini uscisse a vedere che cosa
stava accadendo.

2.

Il cadavere di Giovanni Prospero fu ritrovato intorno alle 6.30 della mattina seguente dalla signora Denisa Saracinescu, la portinaia moldava dello stabile[1]. Era una visione raccapricciante. Il professore giaceva rannicchiato sullo zerbino di casa, una minuscola zattera a galla sul sangue. Sembrava che sul suo corpo e sulla sua faccia fossero passate le ruote di un'automobile. La portinaia chiamò immediatamente il 118, ma al mondo la notizia fu data dal tweet della vicina Ramona Rozzoni che alle 7.01, recandosi al lavoro, si fermò sul pianerottolo giusto il tempo per scattarsi un selfie con il morto e

---

[1] Questo testo è stato revisionato in conformità al Decreto Legge 17 giugno, n. 1728, "Provvedimenti in difesa della lingua italiana": sono stati segnalati, perciò, i termini tecnici o difficili, le parole desuete, i giri di frasi elaborati, tali da ostacolare la naturale comprensione del popolo; sostantivi, aggettivi e avverbi sono stati scelti tra i più comuni per ogni significato, essendo vietato il ricorso al *Dizionario dei sinonimi e contrari*. L'Autorità Garante per la Semplificazione della Lingua Italiana ha affidato la revisione al Funzionario Redattore Ugo Nucci (d'ora in avanti *Frun*) sotto la sovraintendenza del Funzionario Redattore Capo Salvo Pelucco *(II sez.)*. Come si evincerà dalla lettura, ogni frase è stata emendata e corretta personalmente dal funzionario in questione, e infine vidimata dal suo superiore, secondo le direttive stabilite nel DL 17/06 n. 1728. Laddove il lettore ravvisasse ancora parole difficili o intellettualismi astrusi è pregato di segnalarli inviando una raccomandata A/R a: Signor Garante per la Semplificazione della Lingua Italiana, Lungotevere dei Marescialli 79/A, 00100, Roma.

rilanciarlo sui social. I primi cronisti si presentarono poco prima che sopraggiungessero le forze dell'ordine a cui non rimase che constatare il decesso.

Olivia Prospero, la figlia del professore, atterrò a Milano all'aeroporto di Linate nel primo pomeriggio. La notte precedente era andata a dormire molto tardi perché dopo la chiusura era rimasta a festeggiare il suo compleanno nel ristorante dove lavorava. La giornata era iniziata con suo padre che le faceva gli auguri al telefono. Quel mattino, invece, era stata svegliata da una funzionaria dell'ambasciata italiana: "Signorina Prospero, suo padre è venuto a mancare".

Olivia aveva sempre detestato gli eufemismi, soprattutto se riguardavano i morti. L'ipocrisia con cui si evitava di nominare la morte la faceva imbestialire. Espressioni come "scomparsa", "sonno eterno", "defunto", "è tornato alla Casa del Padre" le erano sempre sembrate ridicole. Ma quello che più detestava era "è venuto a mancare" perché attribuiva un'azione, quasi un'intenzione, all'assente.

"È venuto a mancare dove?"

"Nella mancanza! Sul pianerottolo... È trapassato."

Trapassato, come un tempo verbale: "Mi sta dicendo che è morto?".

Anche sua madre era morta, ma Olivia non se lo ricordava perché era troppo piccola quando era successo. Era cresciuta con suo padre, poi, a vent'anni, era andata in Inghilterra per laurearsi in epigrafia bizantina. Un bel giorno si era iscritta a un corso di cucina e le lapidi erano passate in secondo piano. Adesso, a quarantadue anni, si ritrovava "capo partita pasticciere" al Dolcecasa, il più grande ristorante italiano di Reading. Si era abituata a lavorare quando la gente viveva e a vivere quando la gente dormiva. L'umanità le appariva sotto forma di piccole teste immerse nella penombra, quelle dei clienti che intravedeva attraverso l'oblò della porta della cucina. Appartenevano a gente di ogni tipo, giovani vecchi, colti, ignoranti, di classi sociali diverse, ma rispondevano tutte a un'unica legge. Gliel'aveva svelata una vecchia cameriera quando lei era ancora un'apprendista che montava a neve le uova: "Il trucco è farli aspettare abbastanza perché abbiano fame, ma non così tanto da farli arrabbiare. Dopo apprezzano tutto". Olivia viveva sulla soglia della vita degli altri. Da quasi dieci anni aveva una relazione con un uomo sposato con figli, uno chef come lei, il gran maestro di sushi e sashimi Maguro Mifune. Si incontravano tre volte a settimana, tra le 16 e le 18, a casa di lei, prima di andare al lavoro. La moglie di Magoo, così lo chiamava Olivia, credeva che lui fosse in palestra. Il loro patto era chiaro: chiudere il mondo di fuori.

La prima cosa che Olivia notò quando il taxi la scaricò davanti all'Obitorio civico di via Ponzio 1 furono i condizionatori allineati sotto ogni finestra. I morti prendevano il fresco come i vivi prendevano il sole. Pagò e scese, fece un passo nel cortile, ma prima aveva bisogno di fumare. Tirò fuori di tasca il pacchetto di Gitanes senza filtro, si appoggiò con la schiena alla colonna d'entrata e aspirò una boccata profonda. Alla fine la funzionaria dell'ambasciata aveva dovuto spiegarle che suo papà era stato picchiato, ma non si sapeva da chi o perché, forse aveva dato fastidio a qualcuno, però Olivia non aveva capito bene perché le pareva impossibile. Suo padre era un intellettuale. Non disturbava nessuno. Olivia gettò a terra la sigaretta facendo scattare l'indice contro il pollice – quel gesto suo padre lo chiamava zipperlì – e la schiacciò con la suola nella ghiaia, poi entrò nella palazzina. Appena l'ascensore si mosse verso il basso, si ricordò come si era emozionato il giorno della sua tesi di laurea e quando da piccola, al buio, prima di addormentarla, le leggeva *Le streghe* di Roald Dahl, i romanzi di Bianca Pitzorno o *Il barone rampante* di Calvino, tenendole la mano.

Forse era stato a causa di quel rito serale se per lei i libri erano rimasti per sempre associati al sonno. Non ne leggeva mai, e si sentiva in colpa per questo, le pareva di non essere stata la figlia che suo padre avrebbe voluto.

Ma lei era diversa, non era intelligente quanto lui e non ci poteva fare niente. L'epigrafia bizantina aveva rappresentato una strada, perfino una scusa, per non rinnegare il rito paterno senza doversi sorbire testi più lunghi delle iscrizioni sulle lapidi di gente morta da millenni. A suo papà parlare piaceva moltissimo, non ne aveva mai abbastanza, succhiava le parole come caramelle, le sputava e tossiva quasi, e ne usava tantissime anche quando scriveva. Olivia invece aveva sempre taciuto. Se per suo padre le parole erano farfalle da acchiappare, per lei erano gli spilli con cui acchiapparle e fissare le poche certezze che la realtà aveva da offrire. Aveva scelto l'epigrafia proprio per via di questa sua ~~riluttanza verbale~~[2], essendo l'unica disciplina per cui le parole, incise nella pietra, costano ancora fatica e sudore. Ma presto anche quei brevi testi non erano bastati. Le parole non potevano competere per lei con la forza degli odori, dei sapori e delle sensazioni sulle dita che davano le cose reali.

Ripensò a quando suo padre veniva a prenderla a scuola e, passando davanti allo zoo dei Giardini pubblici, si fermava sotto un albero altissimo, "è una metasequoia" le ripeteva ogni volta, o a quando al liceo cercava inutilmente di farle capire il giudizio sintetico a priori di Kant. Chissà se adesso, da morto, qualcosa di lui stava passeggiando nel mondo delle idee di Platone? Lo immaginò circondato da forme pure – numeri, sfere, valori, categorie dello spirito, cavallinità varie –, lui che nella vita reale si muoveva in modo così goffo

---

[2] Sostituire l'espressione poco chiara "riluttanza verbale" con il più schietto, latino, "taciturnità". *Intervento apportato dal Funzionario Redattore Ugo Nucci per conto dell'Autorità Garante per la Semplificazione della Lingua Italiana. Frun*

che pareva a disagio nel corpo. E le venne da piangere come ancora non era riuscita a fare, come se lui fosse morto nell'istante in cui l'ascensore si fermò nel seminterrato e gli sportelli si aprirono.

Olivia posò il piede destro sul pavimento, il sinistro si affiancò. Portava scarpe basse nere. Le piastrelle erano beige di ceramica. Un inserviente con gli occhi strabici e un tizio più alto con una cravatta verde pisello le si fecero incontro – "Sono il commissario Scoppola," si presentò quello alto – e la scortarono per un corridoio scuro fino a una pesante porta di vetro davanti a cui si bloccarono per fare un passo di lato, indecisi se in caso di riconoscimento di cadavere fosse migliore educazione dare precedenza alle signore oppure precederle all'interno. Scelsero una soluzione di compromesso (l'inserviente entrò, il poliziotto si fermò sulla soglia) e dalla sala mortuaria uscì una ventata di gelo dolciastro. Il tizio alto le fece cenno di entrare con la mano: "Prego, signora". Olivia si affacciò sulla soglia. Al centro della stanza, su un tavolo, c'era suo padre. Le lacrime le si fermarono agli angoli degli occhi, quasi ghiacciate. Per un attimo si illuse che ci fosse stato un errore, così entrò, senza averlo deciso ed essersene resa conto, e davvero sembrava il corpo di un altro: aveva il cranio sfondato e la faccia gonfia. Ai piedi, piccolissimi, Olivia riconobbe le Clarks marroni. La pelle del viso era nera e giallastra. A causa del sangue, il maglione aragosta era diventato bordeaux. Glielo aveva regalato lei per Natale: era andata fin da Ede & Ravenscroft in Savile Row, il più antico negozio di Londra, perché a suo papà, come a tutti gli intellettuali italiani, gli abiti inglesi piacevano un sacco.

17

3.

La notizia provocò unanime cordoglio, ma condanna intermittente. Alcuni conoscenti di Prospero convocarono un presidio di solidarietà in piazza della Scala a Milano all'ora dell'aperitivo, ma si presentarono in pochi, tutti vecchi. Per lo più si trattava di colleghi in pensione, uomini e donne che negli ultimi anni avevano assistito allo sbriciolarsi del loro posto nel mondo senza intuirne le ragioni. La notizia dell'assassinio rappresentava per loro l'atto finale di uno sgretolamento che perdurava da anni, ma che credevano sarebbe durato in eterno. Il presidio fu quindi un'occasione per salutarsi un'ultima volta e per salutare quelli che erano stati e non erano più. Una signora con i capelli rosso fuoco avvolta in una ~~pashmina~~[3] nera diceva alla vicina vestita in azzurro:

"Certo che è una bella seccatura...". L'altra scosse la testa con tristezza:

"All'inizio se la sono presa con i clandestini, poi con i rom, dopo è venuto il momento dei raccomandati e degli omosessuali, e ora si mettono ad attaccare gli intellettuali...".

"Sì, Anna, ma noi che fastidio diamo?"

---

[3] Sostituire con "scialle afghano". *Frun*

Venne verso di loro, zoppicando, un uomo anziano con la faccia da indio:

"Perché, gli altri che fastidio danno, Clelia? Questi qui hanno bisogno di un nemico al giorno, se no non esistono".

"Sono d'accordo, Cesare, è una barbarie, ma non ci vorrai mica paragonare agli zingari?"

"Perché no, Clelia, sono uomini anche loro!"

"Non fare il buonista, Cesare..."

"Non cominciare anche tu con questa storia del buonismo! Quelli che si opposero alle leggi razziali nel 1938 i fascisti li chiamavano 'pietisti'. Ora hanno inventato 'buonisti', ma è la stessa cosa!"

"È passato un secolo, Cesare!" poi aggiunse a voce più bassa: "E perfino gli ebrei sono meglio degli zingari...".

Qualcuno aveva intonato *Bella ciao* sottovoce, tra sé e sé, a labbra socchiuse; e qualcun altro si unì, ma il canto usciva in un sussurro di parole ripetute troppe volte per essere ancora vive, parole che sulla lingua sapevano di cenere. L'unico che cantava a squarciagola, come se dalla sua bocca potesse scaturire la rivoluzione, era il più giovane di tutti, un uomo tarchiato sui quarant'anni con la barba cubana, che si guardava intorno con occhi infervorati. Gli altri lo osservavano di sbieco con un misto di ammirazione e timore, specialmente la signora in pashmina[4], Clelia, che gli si accostò e lo prese sotto braccio per cantare insieme a lui. Intorno alle 19.30 il raduno si sciolse: la malinconia, l'età avanzata, la fame e un certo freschetto indussero i manifestanti a fare ritorno alle tiepide case. In tv iniziava la prima serata.

Il conduttore del talk show in cui Prospero aveva avuto l'impudenza di citare Spinoza aprì la trasmissione con un sermoncino di condanna del vile gesto. Il pubblico applaudì.

---

[4] Vedi nota precedente. *Frun*

Nel dibattito che seguì del defunto professore si disse ogni bene, salvo dipingerlo come un uomo appartenente al passato, un altro che, pur con tutti i suoi studi, non aveva capito i tempi nuovi.

"La sua tragica morte," sentenziò l'intellettuale noto per la sua genuinità, "dimostra che da quando si sono allontanati dal sentire del popolo, gli intellettuali non servono più a un cazzo. Da avanguardia sono diventati casta."

"Di mantenere i parassiti la gente ne ha pieni i coglioni!"[5] commentò il direttore di un quotidiano.

Olivia sollevò le ginocchia, piegò la testa all'indietro e fece scivolare in avanti il sedere in modo da immergersi nell'acqua bollente e spegnere le voci che litigavano dal televisore acceso nell'altra stanza. L'acqua era trasparente e senza schiuma perché suo papà non usava shampoo o bagnoschiuma, soltanto saponette raggrinzite. Quando riemerse, le voci litigavano ancora. Olivia aprì il rubinetto al massimo, ma il volume rimase troppo alto.

Dopo essere venuta via dall'obitorio era tornata nell'appartamento vuoto del padre e lo aveva trovato nel caos. La polizia aveva portato via il computer, "per fare approfondimenti," le aveva detto il commissario Scoppola. Le scarpe dei poliziotti avevano spostato i tappeti e c'erano libri per terra.

Olivia era arrivata al pianerottolo senza fiato, perché l'ascensore era fuori uso. Davanti alla porta c'era un nastro bianco e rosso, come nei film, e mancava lo zerbino. Infilando le chiavi nella serratura, Olivia si era accorta che il muro ai lati degli stipiti era sporco di schizzi di sangue. Anche le fu-

---

[5] "L'utilizzo di schiette metafore popolari, estratte dal parlato della gente comune, è da favorire e valorizzare." Comma 2. Art.10, §6, DL 17/06 n. 1728. *Frun*

ghe tra le piastrelle erano più scure. In casa Olivia aveva raccolto i libri e raddrizzato i tappeti, poi si era affrettata ad aprire l'acqua della vasca da bagno, aveva acceso il televisore in salotto e, come fosse l'ultima tappa di un circuito da compiere per intero, si era spostata in camera di suo padre dove si era spogliata e si era lasciata cadere sul suo letto. Il cuscino era sgualcito. Lui non lo cambiava da un po'. Le era venuta voglia di parlare con Maguro, ma a quell'ora lui era a casa con la moglie e i bambini. Essere sola le era sempre sembrato comodo, un modo per invecchiare di meno le cose e i rapporti, ma per la prima volta le sembrò triste. Con Magoo avevano momenti belli e ridevano, però non si erano mai conosciuti davvero, si erano soltanto intuiti. Stare con lui era come stare a galla sul Mar Morto, non andavi mai a fondo davvero.

La vasca doveva essere pronta. Olivia aveva chiuso il rubinetto e aveva fatto pipì. Era un bagno vecchio di quelli con i rivestimenti in marmette screziate e lo sciacquone a manopola di metallo. Suo padre si era seduto sul water ogni giorno per tutti gli anni in cui lei non c'era stata, fino a ieri. Le era venuto di nuovo da piangere. Si era alzata e aveva tolto la biancheria, buttandola in una brutta cesta di plastica bianca, insieme ai vestiti di lui. Nello specchio a figura intera sulla porta c'era una donna magra con gli occhi azzurri e le costole a vista. Nell'altra stanza, il talk show era iniziato. Olivia aveva sentito la voce del conduttore e i primi applausi, poi era entrata nella vasca per rilassarsi. Quando riemerse gridavano ancora più forte.

"Voi avete il dovere di proteggerli! I nostri intellettuali sono una risorsa," urlava qualcuno.

"Il nostro unico dovere è proteggere il popolo," rispose una voce più stridula che a Olivia, per un attimo, sembrò di conoscere.

"Il professore è stato arrogante, come tutti gli intellettuali."

Olivia uscì dalla vasca e, dopo essersi avvolta nell'accappatoio blu appeso alla porta, attraversò il corridoio lasciando le orme dei suoi piedi bagnati sul pavimento. Sfilando nel corridoio ebbe la sensazione fisica che i libri di suo padre la osservassero. La casa era più piccola di come la ricordava. I ricordi di certi luoghi abitano il corpo – le ossa, la carne, il sangue e gli occhi – più del cervello. In tv c'era un uomo, occupava tutto lo schermo. Olivia lo osservò senza ascoltarlo. Gli guardò la bocca, in particolare. Aveva una faccia già vista, ma non ricordava dove, né quando. O meglio, non era proprio quella, la faccia, ma un'altra, diversa, come se in quella di prima ne fosse rimasta incastrata una nuova. Il conduttore gli si rivolgeva chiamandolo "ministro", "ministro dell'Interno" e, perfino, "Primo ministro dell'Interno" perché da quando il governo aveva chiuso porti e aeroporti e messo dazi in entrata e in uscita, la funzione del Primo ministro era stata assorbita da quella del ministro dell'Interno, e viceversa. Le telecamere non riuscivano a staccarsi dal suo primo piano, finché l'inquadratura tornò nello studio, dove un signore, alto e paonazzo, presumibilmente il capo dell'opposizione, stava gridando con voce strozzata:

"Anche gli intellettuali sono il popolo!".

La regia tornò sul ministro, che sorrise con accondiscendenza.

"Il popolo non vive negli attici," disse, "e non indossa maglioni di cachemire, mio caro. Il popolo lavora e non ha tempo da perdere!"

Olivia maledì[6] la propria pessima memoria.

---

[6] Sarebbe più corretto "maledisse". "Maledì" al pari di "maledivo", "maledisti" ecc. è attestato come uso popolare, ragione per cui suggerirei di non correggerlo. *Frun*

"È morto un essere umano, ministro! Una persona coltissima, un professore universitario!"

"Se fosse stato un netturbino era meglio?"

"Il professor Prospero era..." esitò, non gli veniva la parola.

Il ministro suggerì: "...un radical chic...".

"Era un grande storico dell'Illuminismo!"

"È morto anche l'Illuminismo, caro signore. Le do questa notizia. E poi, mi scusi, che cos'è l'Illuminismo? Una marca di abat-jour?"

Il pubblico rise, sulla fiducia.

"Lei dovrà riferirne in Parlamento!" gridò il capo dell'opposizione alzandosi dalla sua poltroncina con l'indice teso contro il maxischermo.

"Lo farò domani mattina alle 10," rispose tranquillamente il ministro. "Spero che per lei non sia troppo presto. Non vorrei costringerla a una levataccia."

Olivia spense il televisore, poi scagliò il telecomando sull'altra poltrona, ma nell'urto lo schermo riprese vita. L'acqua aveva smesso di sgocciolare dal corpo sul pavimento. Perché tutti quanti usavano la parola "intellettuale" come sinonimo di "radical chic"? Suo papà non era mai stato un "radical chic", era un uomo prudente, meticoloso, quasi noioso, per niente radicale, e soprattutto non era affatto "chic", si vestiva malissimo. Sembrava che la cultura si fosse trasformata in inganno, l'ignoranza in innocenza.

Il conduttore ringraziò il ministro scusandosi per il tempo sottratto ai suoi molteplici impegni e, mentre l'applauso scrosciava, il ministro salutò il pubblico con la mano, magnanimo, sorridendo di nuovo. Fu in quell'istante che Olivia, finalmente, lo riconobbe.

4.

Ne ammazzarono un altro all'alba del mattino seguente. Si chiamava Piergiorgio Pin, aveva 58 anni e insegnava latino e greco nel più importante liceo classico di Treviso, l'Antonio Canova. Qualche ora prima, intorno a mezzanotte, una vicina lo aveva visto allontanarsi con il suo cane, un bastardino di nome Pavarotti (il professor Pin era appassionato di opera lirica). Il corpo fu avvistato da un netturbino in un canale adiacente a piazza dei Signori, perché il povero Pavarotti abbaiava disperato correndo avanti e indietro lungo le sponde. Sembrava un malore. L'acqua in cui il professore era annegato non superava il metro di profondità. Fu chiaro che si trattava di omicidio quando il corpo fu trascinato a riva e tutti videro che intorno alla vita gli era stato legato, come zavorra, un borsone stipato di vocabolari di greco e latino. Piergiorgio Pin era un uomo diffidente e inflessibile, molto conosciuto in città. I giornalisti accorsero e, non appena le telecamere si accesero, il questore si presentò davanti ai microfoni:

"Dai primi rilevamenti l'ipotesi è quella di una tragica goliardata. Il professore si era fatto parecchi nemici".

La notizia fu data dal telegiornale delle 8, giusto in tempo perché il Primo ministro dell'Interno potesse accennarne nel discorso che si apprestava a tenere in Parlamento. La sua squadra ci aveva lavorato tutta la notte insieme ai tweet e ai post per la giornata, ma il ministro amava rivedere personalmente ogni dettaglio. Mentre faceva il suo ingresso nell'emiciclo accompagnato dalla solita ~~pletora~~[7] di assistenti e portaborse, ricevette la chiamata del capo dell'opposizione che lo implorava, "per tutto quel che hai di più sacro al mondo", di prendere qualche misura in difesa del ceto intellettuale italiano che, incidentalmente, costituiva la base elettorale del partito che guidava, o almeno la sola che gli fosse rimasta fedele. Il ministro lo rassicurò con cordialità, poi commentò con i suoi: "Tra un po' finisce che ci vota anche lui". Entrò alla Camera accolto da un boato di giubilo e digitò il suo settimo tweet quotidiano: "Amici, voi ci siete? Io vado avanti!".

Si aggiustò la cravatta, picchiettò il polpastrello sul microfono e ringraziò il Presidente e i signori deputati, espresse il proprio personale dispiacere e porse "le mie più sentite condoglianze ai familiari del professorone", aspettò che le risatine dei suoi si spegnessero e finalmente esordì col discorso:

"Al cospetto di questa Assemblea e del popolo italiano, dichiaro che io assumo, io solo, la responsabilità politica, morale, storica di tutto quanto è avvenuto. È tempo di proclamarmi francamente ignorante. Ho sempre detto: prima il popolo italiano. È forse una colpa? Ma il problema, cari signori dell'élite, è che è stato il popolo, prima ancora che lo dicessi io, a dire: 'Basta! La misura è colma'. È stato il popolo a dire basta alle provocazioni dei radical chic. Il popolo pretende che i suoi rappresentanti, quelli che elegge e stipendia, parlino chiaro e in modo semplice! Dico alle opposizioni: riconosco il vostro diritto ideale e contingente: però

---

[7] Sostituire "pletora" con "compagnia" o "seguito". *Frun*

25

piantatela con la spocchia, abbassate la cresta, imparate a essere umili!".

La maggioranza dei parlamentari scattò in piedi ad applaudire. La minoranza rimase seduta a mugugnare, ma quella timida protesta fu subito soffocata dal coro proveniente dai banchi della maggioranza, che occupava quattro quinti dell'Aula: "U-mil-tà! U-mil-tà! U-mil-tà!". Soltanto il capo dell'opposizione ebbe il coraggio di alzarsi. Intendeva mostrare dignità e fermezza, invece pareva impaurito:

"Questo Paese è stato costruito anche dagli intellettuali! Siamo tutti italiani! E lei ha il dovere di proteggerci!".

Il ministro dell'Interno sorrise comprensivo:

"Egregio onorevole, se me lo chiede con quegli occhioni da cerbiatto, come faccio a dirle di no?".

La maggioranza sghignazzò. Il capo dell'opposizione strillò:

"Sono gli intellettuali che hanno fatto la Repubblica!".

"Intende il giornale?" replicò il Primo ministro dell'Interno.

Il Parlamento ruggì un'altra risata a valanga. Quando si consumò, il tono del ministro si fece didattico: "Il popolo è pieno di idee. E non ha bisogno di voi per fabbricarle. Certo, sono idee semplici, non rivestite di parole astruse. Sono idee nude. Ma voi le donne le preferite con il cappottino o svestite?".

L'aula tuonò la risata più grande di tutte. Il ministro continuò: "L'unica strada, miei cari *frou frou*, è proteggervi da voi stessi!".

Si prese una pausa. La voce si fece più grave e stentorea.

"Per questo, a far data da oggi, istituirò uno speciale corpo di polizia con il compito specifico di tutelarvi! Vi basta?".

Questa volta l'applauso arrivò dai banchi dell'opposizione.

"E per rendere la misura efficace," proseguì il ministro,

gridando al di sopra del frastuono, "attueremo un censimento nazionale dei radical chic al termine del quale sarà istituito un apposito Registro con i nominativi, gli indirizzi, le abitudini di tutti coloro che in questo Paese si ostinano a credersi più intelligenti degli altri."

Il ministro chinò il capo a godersi il trionfo. Ora applaudivano tutti. Anche il capo dell'opposizione. Ma quando l'oratore rialzò la testa i suoi occhi si erano fatti violenti.

"Tutto questo sarà fatto a due condizioni!" la pausa fu così lunga che l'Aula trattenne il fiato:

"La prima: non metteremo le mani nelle tasche dei cittadini. I soldi necessari per finanziare i vostri privilegi non saranno sottratti al popolo! Sarete voi a pagare la vostra protezione. La seconda: il popolo dovrà esprimersi. Già da oggi potete votare cliccando il tasto verde del telecomando!".

L'idea di istituire un Registro Nazionale degli Intellettuali e dei Radical Chic piacque a tutti. Il sondaggio televisivo raccolse una percentuale di Sì superiore all'87 per cento. La popolarità del Primo ministro dell'Interno schizzò a un livello mai raggiunto in un Paese occidentale. Fuori da Montecitorio si era radunata una folla innamorata, che vedendo il ministro varcare i portoni scalpitò, gridò, applaudì, fischiò, svenne, scattò fotografie e protese mani e neonati, nel disperato tentativo di attirare la sua attenzione e convincerlo a un selfie. C'erano panettieri, pizzicagnoli, netturbini dell'Ama, tranvieri dell'Atac, ciclisti di Foodora, casalinghe del Mic, tassisti della Tam, baristi e banchieri dell'Abi, farmacisti della Fofi, disoccupati organizzati e disoccupati disorganizzati, impiegati dei ministeri in pausa caffè, baristi in pausa ministero, senza casa e senzatetto, cani sciolti, meteorine, letteronze, colf filippine, camerieri polacchi, lavoratori dei call center e negozianti cinesi, funzionari del Cnel, consiglieri del Censis, e notai, bottai, bottonieri. La Lazio mandò una delegazione della squadra primavera in divisa sociale e si presentò perfino il cast fisso di *Ballando con le stelle*. Al completo. Ma la comunità più numerosa ed entusiasta, quella che anche da sola avrebbe decretato il clamoroso successo del discorso, era formata dagli intellettuali poveri: erano filosofi frustrati, filologi depressi, filogenetici rabbiosi, laureati in scienze della comunicazione che non comunicavano niente perché non avevano mai *trovato* lavoro o ne avevano *trovato* uno che non avevano *trovato* all'altezza, telefonisti afoni, insegnanti in attesa di abilitazione, assenteisti in attesa di riabilitazione, precari quarantenni, stagisti cinquantenni e cottimisti sessantenni, tutte persone che non avendo ottenuto quello per cui avevano studiato, si erano illividite e incazzate[8].

Il ministro apparve e sollevò la mano destra. Subito un'onda di energia si propagò nella folla. L'eccitazione di vederlo in carne e ossa spinse quelli dietro a spingere quelli in mezzo che spinsero quelli davanti. Giovani e vecchi, poveri e ricchi, uomini e donne si muovevano insieme puntandogli addosso gli smartphone per fotografarlo, filmarlo e postarlo. Vedendoli esaltati, il ministro pensò che doveva sbrigarsi a entrare nell'auto blu. Fece un passo di lato e in quell'istante la notò, perché era l'unica che rimaneva immobile in mezzo alla folla nervosa.

Lo fissava con i suoi occhi chiarissimi, gli stessi di allora. Il ministro esitò. Olivia si mosse.

---

[8] Cfr. nota 5, Art.10, §6, DL 17/06 n. 1728. *Frun.*

5.

La riconobbe all'istante, la sua compagna di banco delle medie, una delle poche persone che lo trattavano con gentilezza in quegli anni terribili. Il ministro ricollegò tutto: il vecchio che come uno scemo se l'era andata a cercare era il padre di Olivia. E Olivia era la donna che aveva scavalcato le transenne e stava camminando verso di lui. Era arrivata a cinque metri e intorno già le si stringevano le guardie del corpo, che fino ad allora si erano tenute un passo dietro gli eventi. Il ministro si infilò dentro l'auto blu, ma prima lanciò un'occhiata al caposcorta. E così, senza nemmeno rendersene conto, anche Olivia si ritrovò sul sedile posteriore di un'auto, tra due uomini identici, talmente enormi da non poter essere neppure definibili grassi.

"Dove mi portate?" chiese nel momento in cui l'auto si mosse.

I gorilla ai suoi lati rimasero muti, anzi, la strinsero ancora di più. Dopo un centinaio di metri i loro telefonini squillarono, la suoneria del primo era *Chi non lavora non fa l'amore* di Celentano e Claudia Mori, quella del secondo *La canzone del capitano* di DJ Francesco. Lessero i due messaggi, che evidentemente erano lo stesso messaggio, mentre Olivia si divincolava e ripeteva di voler scendere.

"Stai muta," le ordinò quello a destra senza neppure girarsi, dopodiché commentò rivolto al compagno: "C'è solo una cosa che mi innervosisce di più delle snob".

"Che cosa?"

"Le snob che si agitano quando stai tentando di leggere."

Il bestione a sinistra annuì. Olivia si bloccò sentendo di nuovo la sensazione di paralisi che provava da bambina di fronte alla prepotenza. Pensava di essersela lasciata alle spalle, ma era sopravvissuta alla sua infanzia, dormendo.

Cinque minuti dopo la prima auto entrò nel portone di un palazzo antico, seguita da quella su cui viaggiavano loro. Il ministro scese e si diresse a passo veloce verso l'entrata. Segretarie e funzionari gli correvano intorno. Lei, invece, rimase chiusa nell'abitacolo fino a quando il cortile fu di nuovo deserto. Poi, le serrature scattarono, il gorilla spalancò la portiera di destra e si fece di lato per farla passare.

"Ti è andata bene. Quella prima di te la stanno ancora cercando."

Olivia fu presa in consegna da un tipo in divisa che la condusse in un salone vuoto con i soffitti affrescati e un enorme ficus in plastica alto fino al soffitto. Sapeva che il ministro l'aveva riconosciuta, ma non immaginava le sue intenzioni. Provava rabbia più che paura, poteva solo aspettare. C'era un'unica sedia, ma preferì andare alla finestra a guardare il cortile. Alle medie il ministro era basso e rotondo. Avevano un professore fissato con il salto della cavallina, ma lui non ci riusciva proprio: partiva di corsa, puntava i palmi delle mani sull'attrezzo e al momento di saltare aveva un'incertezza che lo lasciava a metà strada, spiaccicato di pancia sul cuoio con le gambine che si agitavano nel nulla in attesa che la forza di gravità lo riportasse a terra. Le sue mani erano piccole e i suoi polsi sottili, forse il grasso era il travestimento che aveva inventato per nascondere l'esilità dello scheletro. Dopo dieci minuti il portale in fondo al salone si spalancò. Una funzionaria attraversò la stanza a passi minuscoli. Olivia la osservò percorrere l'intero tragitto: ~~se non fosse stato per la divisa avrebbe potuto essere considerata carina, o forse poteva aspirare a sembrarlo proprio perché la sua bellezza potenziale era arginata dalla realtà della funzione~~[9]. Quando fu a un metro da lei, la ragazza si fermò:

"Mi segua, signora. Il ministro la attende".

---

[9] Frase ~~farraginosa~~, ai limiti dell'incomprensibile: riformulare o cancellare. *Frun*

Sostituire "farraginosa" con "difficile". *Funzionario Redattore Capo Salvo Pelucco, Autorità Garante per la Semplificazione della Lingua Italiana (II sez.)*

6.

"Allora, Clelia, hai sentito che ci fanno il censimento?"

"Oddio, Anna, no, non so niente, stamattina ero a pilates. Censimento in che senso?"

"Al Tg dicono che il governo farà un censimento dei radical chic!"

"Cioè?"

"Cioè noi!"

"Ma in che senso, scusa?"

"Pare che per difenderci dalle aggressioni tipo quella di Prospero, il ministro dell'Interno ci darà a tutti una specie di scorta."

"Gratis?"

"Be', immagino che ci sarà da pagare qualcosa."

"Tipo tassa sui rifiuti?"

"Tipo."

"E poi le guardie del corpo mi accompagneranno a pilates?"

"Che ne so, Clelia, immagino di sì."

"Ma per non essere riconosciute come dovremmo vestirci? Guarda, te lo dico subito, io le magliette con gli strass non le metto!"

"Da radical chic a radical kitsch!"

Clelia mugugnò: "O radical cheap...".

Clelia Maffei e Anna Gandini erano cugine prime e ogni giorno dopo pranzo, che nevicasse, piovesse o facesse bel tempo, prendevano posto sugli sgabelli imbottiti schierati davanti ai rispettivi telefoni fissi, componevano il numero l'una dell'altra e l'altra dell'una, e chiacchieravano per ore. Avevano quasi ottant'anni ormai, e una ventina li avevano passati al telefono insieme.

"E Cesare che cosa dice?"

"Gli fanno male le gambe, come al solito, ma dice che è una cosa fascista e che non vuole essere censito. Piuttosto si traveste da ignorante. Lo sai com'è fatto, esagera sempre. Questa volta, però, chissà, forse ha ragione, Clelia... E Cosma che cosa ne pensa?"

"È tutto eccitato perché secondo lui se le cose peggiorano finalmente ci sarà la rivoluzione..."

"Chissà che confusione se la fanno davvero, la rivoluzione! Ha trovato lavoro?"

"Ma va' là, Anna, che lavoro vuoi che trovi? Ha trovato dei nuovi amici, non so. Che cosa ti devo dire? Si vede che farà il rivoluzionario di professione!"

Per qualche secondo la linea fu percorsa dal fruscio dei loro respiri.

Pensavano.

"Il censimento dei rom ha funzionato."

"Dici?"

"Be', in giro non se ne vedono più... Ti vien quasi nostalgia!"

"A me nostalgia di quelli lì zero, guarda... Ma come funzionerà questo censimento lo hanno spiegato?"

"Dice che basta l'autocertificazione."

"Ma li faranno i controlli, spero! Altrimenti pur di avere la scorta si iscriveranno anche i barboni."

"Faranno delle ispezioni, credo. Ci contatteranno dal mi-

nistero per fissare un appuntamento, poi verranno a controllare i libri che abbiamo in casa, cose così..."

"Come i libri? Tutti?"

"Ma no! Non tutti. Immagino che ci saranno dei punteg-
gi!"

"Volevo ben dire: non è che se leggi Fabio Volo ti danno
la scorta, mi auguro..."

"Devi avere in casa almeno *L'Anti-Edipo* di Deleuze-Guat-
tari..."

"O, in alternativa, un paio di metri di Adelphi color pa-
stello." Risero. Poi, dopo un'altra pausa per pensare, Anna
riprese:

"Cesare dice che solo i nazisti avevano osato toccare i
libri".

"Sì, ma qui è per proteggere chi ce li ha, mica per bru-
ciarli."

"Cesare non si fida lo stesso."

"A me, guarda, mi pare più inquietante la questione dei
vestiti... Controllano anche quelli."

"Per non saper né leggere né scrivere, Cesare mi dirà di
sbarazzarmi delle sue vecchie giacche di velluto e maglioni
irlandesi."

"E dove glieli metti, scusa?"

"Pensavo in uno di quei cassonetti gialli dove si buttano
le cose per i poveri."

"Sì, brava, così poi arrestano i migranti perché hanno le
giacche di tweed."

Risero ancora.

7.

Olivia entrò nella grande stanza in penombra. Il ministro la aspettava dietro la scrivania. La voce dell'uomo uscì dal buio, sottile, identica a quando era bambino.

"Accomodati, Ollie."

Aveva usato il nomignolo con cui la chiamava suo padre. Olivia ritrasse le labbra all'interno. Le sue pupille si stavano abituando alla mancanza di luce. Lui aveva la stessa bocca di quando era bambino, ma lo sguardo era cambiato. Sembrava ancora più triste.

"Resto in piedi, grazie."

Fu il ministro ad alzarsi. Camminava insicuro. Era ingombrante. L'interno delle cosce sfregava a ogni passo.

"Mi dispiace per quello che è successo a tuo padre." Olivia non rispose.

Il ministro le venne più vicino. Il suo modo di nascondersi era occupare tutto lo spazio.

"Alfredo e Alfonso, le mie guardie del corpo, sono un tantino rozzi, mi dispiace, ma sono indispensabili. I miei elettori, come avrai capito, sono parecchio agitati."

Olivia continuò a fissarlo e chiuse le braccia sul petto.

"Se avessero saputo che sei la figlia del professore," disse il ministro, "si sarebbero arrabbiati tantissimo."

"Perché?"

"Hanno reazioni elementari. Sono fatti così. Paura, rabbia, gratitudine. Come tutti gli esseri umani."

Il ministro fece un sospiro e stava per aggiungere qualcosa quando sulla scrivania di mogano alle sue spalle il telefonino si mise a vibrare. Alzò il dito per scusarsi e si voltò a rispondere.

"Ehi, mamma, ciao. Mi hai visto?"

Teneva il telefonino scostato dall'orecchio, con due dita, come se non volesse farlo aderire alla pelle e la madre parlava a voce sufficientemente alta perché Olivia potesse sentire.

"Dovevo fare la spesa."

"Ma era un discorso importante."

"Anche la spesa è importante. Quando vieni a Milano?"

Il ministro sorrise imbarazzato e lanciò un'occhiata a Olivia, cercando la sua comprensione.

"Non lo so ancora, mamma. Ho tante cose da fare. Sono il ministro, non so se te l'hanno detto."

"Me lo dici tu in continuazione."

A ogni ~~malarisposta~~[10] il figlio sembrava rintanarsi dentro se stesso e al contempo irrigidirsi.

Olivia se la ricordava bene la madre. Era una donna pratica, molto orgogliosa del figlio. Quando Olivia andava a casa loro a studiare era sempre gentile, quasi sollevata che suo figlio avesse compagnia e non si dimenticava mai di dirle: "Saluta il tuo papà". Entrava in camera una volta sola in tutto il pomeriggio, trasportando il vassoio della merenda. E, infatti, a furia di merende, il ministro era diventato un orango di centonovanta centimetri e un quintale abbondante di carne che si muoveva ancora con l'insicurezza di chi è cresciuto all'improvviso. Sembrava intrappolato. Il corpo nuovo se lo era mangiato.

[10] "Risposta scortese". *Frun*

"Che cosa ci vuoi fare?" le disse dopo aver messo giù. "Invecchiano."

"Se non li ammazzano prima."

Il ministro sorrise, ma mentre arcuava le labbra i suoi occhi si fecero duri.

La porta si aprì e la funzionaria rientrò, accompagnata da una donna impettita in tenuta da assistente di politico di successo.

"L'aereo è pronto, Primo ministro dell'Interno. Dobbiamo andare. Il re del Kazakistan ci sta aspettando."

Lui annuì e sussurrò stridulo:

"Sentite condoglianze per tuo padre, Olivia. È stato un piacere".

8.

L'istituzione del Registro Nazionale degli Intellettuali e dei Radical Chic fu la prima notizia per l'intera mattina, ma non entrò neppure in #trendtopic. Il fatto che il provvedimento fosse stato presentato in difesa e non contro le suddette minoranze ne ridusse sensibilmente la viralità. Per spiegare il senso politico della legge, fu diffuso un documento in cui riassumeva per punti le ragioni in base alle quali gli intellettuali costituiscono, sempre, un pericolo per la democrazia tale da minarne l'esercizio. La lettera, firmata dal ministro in persona e redatta in forma di decalogo, era intitolata: "La questione intellettuale. La verità è semplice, l'errore complicato".
Diceva:

1. La complessità impedisce la verità.
2. La complessità umilia il popolo.
3. La complessità frena l'azione.
4. La complessità è noiosa, quindi inutile.
5. La complessità è superba, quindi odiosa.
6. La complessità è confusa, quindi dannosa.

7. La complessità è elitaria, ergo[11] antidemocratica
8. La semplicità è popolare, ergo[12] democratica.
9. La complessità è un'arma delle élite per ingannare il popolo.
10. Bisogna semplificare quello che è complicato, non bisogna complicare quello che è semplice.

Olivia ripose il giornale sul sedile di fianco. Era l'unica a essersi portata un quotidiano in tutto lo scompartimento, ma la verità era che anche lei ormai riusciva a leggere i giornali soltanto in treno. Qualche posto più in là una signora chiacchierava al telefono seduta di fronte a un uomo che tentava di leggere. Fuori dal finestrino passava l'Italia – case sparse, prati e colline verdi, improvvise accensioni di cespugli colorati – e sembrava che niente fosse accaduto, e che il Paese fosse quello di sempre. Era impossibile dire se fosse stata la cultura a plasmare quel paesaggio o quel paesaggio a modellare la cultura. Olivia era arrivata a Roma alle 9.55 con il Frecciarossa delle 6.15 e stava tornando a Milano con quello delle 15.22. La sera dopo era stata invitata a cena dai Gandini e avrebbe rivisto Cesare, il migliore amico di suo padre. Lo conosceva da quando era nata. Le aveva raccontato che faceva un po' fatica a camminare per via delle anche, ma che non

---

[11] "Ergo" è un latinismo che spiega l'assunto che afferma. *Ergo* propongo di sostituirlo con "pertanto", "dunque" o "quindi". *Frun*

Frun, ma cosa le salta in mente? Corregge i testi del ministero? *Funzionario Redattore Capo Salvo Pelucco, Autorità Garante per la Semplificazione della Lingua Italiana (II sez.)*

[12] Cfr nota 11. *Frun*

Cfr nota 11. *Funzionario Redattore Capo Salvo Pelucco, Autorità Garante per la Semplificazione della della Lingua Italiana (II sez.)*

voleva operarsi, ma era sempre spiritoso. Si vantava di essere l'ultimo uomo al mondo a non possedere un telefono portatile.

"Credimi, Ollie, eravamo rimasti io e un tizio in Wyoming, ma è morto l'altr'anno."

Per invitarla l'aveva chiamata alle 8 del mattino dal fisso, appena prima che lo occupasse sua moglie Anna. Alla cena, naturalmente, ci sarebbe stata anche Clelia, e suo figlio Cosma, che Olivia considerava una specie di cugino. Nel viaggio di andata era riuscita a sentire Magoo. Era stato affettuoso. Le aveva chiesto di suo papà e sembrava dispiaciuto davvero, però non riusciva a venire perché il figlio maggiore si laureava quel giorno. In realtà per il funerale si sarebbe dovuto aspettare perché il giudice aveva disposto l'autopsia. La donna al telefono alzò la voce abbandonando per un attimo il tono monocorde che aveva tenuto da quando erano partiti:

"Glielo faccio vedere io chi è la scema!".

Olivia si girò, poi tornò al finestrino. Fuori, l'Italia continuava a scorrere e lei si domandò che cosa l'avesse spinta a venire a Roma per rivedere l'uomo che aveva umiliato suo padre in tv, favorendone indirettamente la morte. Non sapeva se era stato per cercare un colpevole, oppure per capire che cosa può trasformare un bambino simpatico in un adulto prepotente.

Al tempo in cui giocavano insieme, andavano pazzi per *Harry Potter*. Avevano imparato a memoria tutti e sette i libri, visto e rivisto ogni film e trascorrevano i pomeriggi a trascrivere su un quaderno le formule magiche di Hogwarts, fingendo che funzionassero davvero. Qualche volta veniva anche Cosma. Olivia se le ricordava ancora: *Furnunculus* faceva venire i brufoli in faccia, *Wingardium Leviosa* serviva a volare, *Rictusempra* provocava il solletico, *Oblivion* cancellava la memoria. Chissà se le sapeva anche il ministro. Le venne in mente che per lui il potere era un modo per continuare a credersi magico, ogni volta che ordinava *Recido, Incarceramus* o *Expelliarmus*. Dopo le medie si erano persi di vista. Olivia si era iscritta allo scientifico perché i libri la attraevano poco già allora, mentre lui era entrato in uno dei migliori licei classici della città, dove era stato tra i più bravi della classe. Che cosa gli era accaduto per diventare uno che odiava la cultura?

Il corso dei suoi pensieri fu interrotto dalle risate di due tizi in giacca e cravatta con le scarpe così rettangolari che parevano bare di cuoio.

"Questa cosa del Registro dei Radical Chic mi fa sbellicare!"

"Se dici un'altra volta 'sbellicare' ti denuncio, così registrano anche te." Altre risate sguaiate, poi quello che si sbellicava riprese:

"Ti racconto solo questa, c'è il cugino di mia moglie che insegna in un'università, non mi ricordo bene quale, quando me l'ha detto non ci credevo, e cioè lui da tutta la vita studia un solo poeta, il nome adesso non mi viene in mente, aspetta, sì, dai, è quello che ha il nome di un animale torturato..."

"Leopardi?"

"Ma va'. Mica l'hanno torturato Leopardi!"

"Manzoni?"

"None! Aspetta... Torchiato Tasso!"

"Chi?"

"Il punto è: questo fa il mantenuto dallo Stato, cioè da me e da te, per spassarsela a leggere poesie! Ti rendi conto? Capirei se studiasse i tumori o come costruire ponti che non crollino, ma un poeta, scusa, perché?!"

"Buoni quelli! Medici e ingegneri sono i più corrotti di tutti."

"E tu come lo sai?"

"Lo sanno tutti. Apri gli occhi!"

Olivia pensò che per accostare Tasso allo spasso bisognava avere una considerazione altissima della poesia o un'idea
bassissima dello spasso. L'undicesimo e il dodicesimo punto,
naturalmente omessi dagli estensori del decalogo, avrebbero
dovuto essere:

11. La complessità si frappone tra l'arrabbiato e l'oggetto
della sua rabbia, quindi ostacola lo sfiato degli istinti che
regola la vita politica di un Paese.
12. La complessità è faticosa e la vita è già abbastanza dura
di per sé.

Il treno attraversava un ponte. Sulla riva del fiume Olivia
vide un gregge di pecore. Non credeva che ne esistessero ancora. Sembravano dipinte, uno di quei quadri appesi in certe
pizzerie. Un'infografica a pagina 3 del giornale ricostruiva le
tappe che avevano portato al provvedimento. Da settimane i
sondaggi suggerivano la necessità di un nuovo bersaglio. Da
quando il nuovo governo si era installato, il popolo ne con-
sumava uno ogni due giorni. L'ultima campagna, quella contro le famiglie omosessuali, era stata meno efficace del previsto, quanto al resto non gliene fregava più niente a nessuno:
le barche affondavano indisturbate nel mare e le banche affondavano indisturbate nei crediti inesigibili; gli schiavi con-
tinuavano a raccogliere pomodori indisturbati, ma i campi
dove lo facevano erano scomparsi grazie a un accordo-qua-
dro con Google Maps; le ong erano state messe fuori legge,
ma per aiutare i cooperanti rimasti senza lavoro era stata
creata una ong per le ong; una nuova legge aveva ridefinito la
legittima difesa in quanto "legittima difesa da ragionevole
paura", ed equiparato il porto d'armi alla patente di guida (e
la domanda – raccontava un articolo nelle pagine interne –
era così alta che un impresario di Usmate Velate, provincia

di Monza e Brianza, aveva lanciato un servizio di finti furti in casa, ingaggiando figuranti romeni).

Il treno rallentò. Stavano attraversando la periferia di una città, forse Firenze. Sul muro di una fabbrica Olivia fece in tempo a leggere una scritta in spray rosso: "Ministro dell'Interno, delle Interiora e degli Internamenti". Era l'unica azione tangibile di protesta in cui si fosse imbattuta da quando era atterrata in Italia. Due sedili più in là, la signora stava ancora parlando al telefono. L'altro signore stava ancora tentando di leggere. Aveva la stessa espressione di suo padre quando lei ascoltava la musica ad alto volume. Era stato lui a insegnarle che per capire è necessario tentare di vedere il mondo con gli occhi degli altri. Solo che, anche sforzandosi, Olivia non riusciva a capire a chi uno come suo padre potesse apparire un nemico. Si sentì un campanello. Nello stretto corridoio tra i sedili comparve un inserviente che spingeva un carrello.

"Qualcosa da bere? Snack dolce o salato?" Olivia ordinò un prosecco e osservò il ragazzo mentre lo versava. Dimostrava una trentina d'anni e sul polso aveva tatuato una balena bianca con un piccolo veliero. Gli intellettuali erano così impopolari, così unanimemente considerati inutili, che tutti avevano cominciato a chiamarli "radical chic", anche quando non erano ricchi, non erano radical e non erano chic. I privilegi non c'entravano niente: nessuno se la prendeva con i ricchi e famosi ignoranti che, anzi, erano idolatrati proprio perché guadagnavano tanti soldi senza lavorare per niente. Il vino sapeva di tappo, ma Olivia si vergognò a protestare. Anche la signora al telefono prese un prosecco, ordinandolo con lo sguardo.

Un giorno, da bambina, Olivia aveva domandato a suo padre che lavoro facesse. La maestra lo aveva chiesto a tutti in classe e lei non era riuscita a rispondere, mentre i genitori degli altri guarivano le persone, facevano i gelati o guidavano i tram. Suo padre le aveva spiegato che il suo mestiere era studiare e insegnare, e che, a differenza di chi si occupava di cose concrete, gli intellettuali si concentravano sul pensiero e questo serviva a fare funzionare meglio anche le cose concrete, anche denunciando le ingiustizie con il rischio di dare fastidio ai potenti. "Quindi è un lavoro pericoloso?" si era allarmata Olivia, con un inizio di orgoglio. Suo padre, allora, le aveva raccontato di Socrate che si paragonava a un tafano che pungeva il grande culone del cavallo Atene. "E il cavallo era contento?" aveva chiesto Olivia.

"Mica tanto," aveva risposto il papà. "Dopo un po' si è stufato e lo ha spiaccicato con la coda."

Gli intellettuali che conosceva lei, però, non assomigliavano a Socrate. Neppure suo padre. E non erano odiati perché davano fastidio. In generale erano pigri, avidi, comodi, vanitosi. E non avevano mai punto nessuno. Non avevano mai rischiato niente per pronunciare le loro parole. Erano cresciuti in tempo di pace, quando pensare è un mestiere tranquillo; in un tempo in cui le parole, anche le più violente, pesano poco e si staccano dalle azioni, perché di azioni non c'è più bisogno. Quelli come suo padre si erano illusi che bastasse esprimere un'opinione, andare a una manifestazione o firmare un appello per essere innocenti. Non si sarebbero mai aspettati di diventare pericolosi di nuovo. Il cambio d'epoca li aveva trovati impreparati. Suo padre si era sbagliato: la funzione degli intellettuali della sua generazione era stata garantire che qualcuno sapesse davvero le cose e che il futuro sarebbe stato migliore. Invece adesso la conoscenza appariva un imbroglio. L'inserviente con la balena sul polso lottava con le porte automatiche che si erano richiuse, bloccando il carrello. Olivia considerò l'idea di alzarsi ad aiutarlo, ma le porte si aprirono prima che fosse costretta a decidere.

Il treno stava entrando in stazione. Gli scambi dei binari si incrociavano e dai finestrini si riusciva a spiare dentro le case affacciate sulla ferrovia. La signora che parlava al telefono mise giù. L'uomo che le sedeva di fronte sollevò lo sguardo, tolse gli occhiali e la fissò:

"Si rende conto, signora, che lei ha parlato al telefono ininterrottamente da quando siamo partiti, impedendomi di leggere?".

La signora inarcò le sopracciglia, sembrava incredula.

"Se voleva leggere, perché ha preso il treno, scusi?"

Olivia prese il giornale per metterlo in borsa, ma le cadde lo sguardo su un passaggio del ponderato[13] editoriale del direttore in prima pagina: "È giusto chiedere anche agli intellettuali, che tanto hanno avuto da questo Paese, di contribuire alla sua vita politica con proposte e idee. Ma se si ostineranno a pontificare dal pulpito e a frenare la vitalità popolare, allora dovremo a malincuore dire che la loro funzione storica si è esaurita e che qui non c'è più posto per loro". Olivia lasciò il giornale sul sedile di fianco e bevve l'ultimo sorso di vino cattivo. Aveva una gran voglia di fumare e il momento era quasi arrivato: guardò l'ora sul display nell'istante in cui si accese una notifica. Afferrò il telefonino e lo allontanò per mettere a fuoco lo schermo senza infilare gli occhiali. Era un sms inviato da un numero sconosciuto. Diceva: "Mia madre abita ancora vicino a casa tua. Prima o poi vengo a trovarti".

---

[13] "Ponderato", agg., "preceduto da matura riflessione, ben meditato, attentamente vagliato". Benché non propriamente di uso comune, il termine è appropriato. Dopo ponderosa riflessione, propongo di conservarlo. *Frun*

No, cancellare. *Funzionario Redattore Capo Salvo Pelucco, Autorità Garante per la Semplificazione della Lingua Italiana (II sez.)*

9.

Quella stessa mattina, intorno a mezzogiorno, il Consiglio dei ministri aveva approvato per direttissima il Decreto Legge n. 1728 intitolato "Provvedimenti in difesa della lingua italiana" che al secondo comma dell'articolo 38 istituiva il Registro Nazionale degli Intellettuali e dei Radical Chic:

> Attuazione di misure concrete atte a favorire il proficuo riavvicinamento tra scrittori e Popolo mediante il corretto utilizzo della Lingua patria, strumento che può favorire la reciproca comprensione tra italiani oppure ostacolarla. Nelle intenzioni del legislatore, l'istituzione del Registro intende proteggere gli intellettuali dalla legittima rabbia del Popolo, talvolta sfociata in spiacevoli episodi di violenza, ma anche richiamare con forza gli intellettuali al dovere di farsi comprendere.

Il decreto prevedeva anche la creazione della figura del Garante per la Semplificazione della Lingua Italiana, "autorità amministrativa indipendente, dotata di poteri di controllo e indirizzo linguistico"[14], che sarebbe stata ~~coadiuvata~~[15] da un'apposita Commissione ministeriale incaricata di elabora-

---

[14] Qui parlano di noi! *Frun*
[15] Il verbo è di derivazione tardo-latina. Meglio: "assistita". *Frun*

re proposte concrete per migliorare la lingua scritta e parlata. Nel decreto si faceva cenno perfino a un programma di assunzione di massa di funzionari linguisti di I e II grado, da reclutarsi tramite colloquio diretto nelle settimane immediatamente successive alla pubblicazione del provvedimento sulla "Gazzetta Ufficiale".

Davanti all'entrata del ministero dell'Interno, però, già dal primo pomeriggio si formò una fila che si estendeva dal Viminale fino a piazza dell'Esquilino. Chi si fosse trovato a passare di lì, avrebbe visto una massa di umani esausti, ma finalmente speranzosi, di età compresa tra i 25 e i 55 anni, che, nell'attesa, fraternizzavano scambiandosi notizie sulle proprie lauree, master e corsi di abilitazione, raccontandosi i concorsi inutilmente vinti o da cui erano stati ingiustamente respinti, solidali gli uni con gli altri ma al contempo guardinghi, attirati tutti dalla possibilità di un posto fisso dove poter finalmente esercitare le proprie competenze, e vendicarsi dei raccomandati, dei figli di papà e dei ruffiani che si erano accaparrati i mestieri migliori, quelli che loro avevano potuto soltanto sognare.

10.

Sigaretta tra le labbra, occhio destro strizzato per il fumo, espressione da gangster di film francese: Olivia estrasse dal forno la torta ~~sefardita~~[16] di arance e mandorle che aveva preparato per la cena da Cesare e Anna. Era tradizione che ognuno portasse qualcosa e lei aveva pensato che quella torta senza farina e lievito per Cesare e i suoi ospiti sarebbe stata perfetta. Anche a suo padre piaceva moltissimo. Per prepararla si era alzata all'alba, mezz'ora prima che la sveglia suonasse, perché in tarda mattinata aveva un appuntamento e detestava fare le cose di fretta. Montando le uova e miscelando l'impasto, si era pentita: senza le teglie e gli utensili del ristorante era più complicato. Quando adagiò la torta nel piatto, però, si compiacque: era ancora in grado di cucinare in casa. La torta rilasciava nella stanza il suo profumo d'arancia e la pasta di mandorle e uova, impercettibilmente raggrinzita e bruciacchiata, appariva gonfia e soffice. Guardandola, Olivia si stupì che ingredienti diversi, invece di distruggersi a vi-

---

[16] Il termine "sefardita" indica gli ebrei che risiedevano in Spagna e Portogallo prima di esserne espulsi alla fine del Millequattrocento. Benché non abbia sinonimi, non è vocabolo di uso comune e pertanto va cancellato (o sostituito dal più generico "ebraica"). *Frun*

cenda, potessero dare forma a qualcosa di buono. L'orologio sopra la porta segnava le 9.30, doveva sbrigarsi. Il commissario Scoppola le aveva telefonato il giorno prima nell'esatto istante in cui scendeva dal treno, per chiederle di presentarsi in questura dove l'avrebbe aggiornata sugli sviluppi delle indagini. Olivia gettò un'altra occhiata alla torta, aspirò ancora un po' di profumo dalle narici, afferrò la borsa e uscì di casa.

Scoppola indossava la stessa cravatta verde pisello che aveva all'obitorio e Olivia si chiese come facesse a credere di essere elegante. Stringendo la mano che lui le porgeva al di là della scrivania, Olivia socchiuse le palpebre per attutire la violenza cromatica del contrasto con la camicia vinaccia. Quando si fu accomodata, si concentrò sulla faccia del commissario o sulla mappa di Milano appiccicata con lo scotch alla parete dietro la scrivania.

"Se l'ho fatta venire," esordì Scoppola, "è perché dall'analisi del computer di suo padre sono emerse alcune sorprese interessanti."

Olivia si toccò con la mano il lobo dell'orecchio e, subito dopo, intrecciò le dita davanti a sé.

"La ascolto, commissario. Quali terribili segreti su mio papà sta per raccontarmi?"

"Ma no, niente, si figuri, anzi, stranamente non frequentava siti porno, neanche uno... A lei risulta?"

"Mi risulta cosa?"

"Che non fosse un consumatore di siti porno."

"Non ne ho idea, sono la figlia, le pare?"

"Non si arrabbi, era solo per chiedere."

"Non sono arrabbiata, ma non capisco la domanda."

"Solo curiosità!" disse Scoppola, appoggiando sulla scrivania il MacBook che aveva appena tirato fuori da un cassetto. Olivia continuava a fissarlo con le dita intrecciate. Scoppola sollevò il coperchio del portatile e girò il computer in direzione di Olivia. Era già acceso e aperto su una pagina Facebook.

"Ecco, vede, quello che vien fuori è che suo papà non fosse affatto l'agnellino che pretendeva di essere..."

"Mio papà non ha mai detto di essere un agnellino."

Scoppola alzò le spalle come uno che la sa lunga e non ha tempo per le schermaglie inutili.

"Si sa come sono gli intellettuali..."

"Io non lo so," disse Olivia. "Come sono?"

"Lui era molto attivo sui social. Questo almeno lo sapeva?"

"No," disse Olivia, "ma non mi sembra grave..."

"Grave forse no, ma sicuramente non aiuta," disse Scoppola, porgendole il fascicolo su cui la polizia aveva annotato tutto quello che suo padre aveva postato negli ultimi mesi.

"Non aiuta cosa?" chiese Olivia, aprendo alla prima pagina.

"A non farsi nemici. A vivere in pace," continuò Scoppola, "lo vede anche lei, ha scritto decine di post per prendere in giro il nostro ministro..."

"Anche questo non mi sembra grave, siamo in un Paese libero, no?"

Scoppola aggrottò la fronte: "Quello che sto cercando di dirle, signorina, è che la vittima, suo padre, era un provocatore".

Olivia si morse l'interno di una guancia e iniziò a sfogliare il fascicolo. Il commissario aveva ragione. Negli ultimi mesi, suo padre era stato implacabile. Firmandosi Plico della Girandola, interveniva utilizzando parole difficilissime sulle pagine social dei fan più aguerriti del ministro, poneva domande trabocchetto, proponeva di introdurre per legge test per ammettere al voto solo chi avesse un quoziente intellettivo sufficiente oppure accusava i complottisti di essere stipendiati dagli extraterrestri per distruggere il pianeta. Insultava tutti quanti, chiamandoli "spugne di mare". Quando si fu fatta un'idea sufficientemente precisa, Olivia tornò con lo sguardo sul commissario, con un impercettibile sorriso negli occhi. Prima di morire, suo papà si era divertito moltissimo.

Scoppola scosse la testa:

"Ha letto dove insinua che il Primo ministro ha un master alla Sorbona?".

"Sì, e allora?" disse Olivia, scoppiando a ridere.

"E allora niente! Lo sanno tutti che non è laureato," rispose Scoppola, allargando le braccia. "Uno poi non si può lamentare!"

"Sta cercando di dirmi che se l'è cercata?" disse Olivia, chiudendo il fascicolo sul tavolo e portando le braccia al petto.

Scoppola si limitò a sollevare un sopracciglio. Olivia afferrò il bordo della scrivania e spinse indietro la sedia.

"Arrivederci, commissario. Mi complimento, l'indagine ha fatto grandi passi in avanti," disse alzandosi e prendendo la porta senza salutare.

Il colpevole era diventato il morto perché si era permesso di fare lo spiritoso su Internet! Pensare, scrivere, insegnare – cioè fare quello che gli intellettuali devono fare – significava provocare. Olivia uscì dal portone come una furia, tagliando la strada a una vecchietta con il bastone, poi, per fare sbollire la rabbia, si mise a camminare a passo veloce trattenendosi a stento dal correre. Nessuno avrebbe mai trovato il colpevole perché nessuno lo avrebbe cercato. La morte di suo padre sarebbe rimasta per sempre un mistero, qualcosa che era accaduto perché doveva accadere, un fatto a metà tra casualità e necessità, perché suo padre in verità era stato ucciso da tutti. Si sentì orgogliosa. Suo padre aveva provato a ribellarsi e lo aveva fatto usando le parole. Il coraggio è la paura che si trasforma in azione, un modo di scappare quando non c'è via di fuga. Olivia non sapeva se sentirsi meglio o peggio: che cosa avrebbe ottenuto conoscendo il colpevole? Che cosa sarebbe cambiato?

Le mancava il fiato. Quando finalmente rallentò si guardò intorno senza riconoscere la zona. Guardò le facce dei passanti per strada: nessuno lo aveva ucciso da solo, ma ognuno aveva fatto morire qualcosa di lui. La signora con il chihuahua, il ragazzo con la cintura di Hermès, i due fidanzati cinesi che avanzavano guardando ognuno l'iPhone, tutti avevano contribuito a quel processo di accerchiamento per cui ad alcune persone, gli intellettuali, non era più permesso di essere quello che erano.

Pensarlo, per Olivia, fu quasi una liberazione. La vita poteva continuare anche senza suo padre, anche senza intellettuali. Come la ricetta della torta ~~sefardita~~ alle arance e mandorle, che non prevede farina. Erano altri i mestieri richiesti. Si guardò intorno. Anche Milano si era trasformata in un ristorante a cielo aperto. Non c'era marciapiede su cui non si affastellassero tavolini affollati di gente intenta a sgranocchiare. Il cibo era diventato il grande connettore sociale. Aveva sostituito il pensiero. Dove un tempo c'erano i teatri, adesso sorgevano supermercati di cibo italiano. Durante il talk show il ministro aveva detto che "la gente moriva di fame", ma non era vero: la gente mangiava a strafogarsi, poveri e ricchi, erano tutti più interessati a ciò che gli entrava in bocca rispetto a ciò che ne usciva sotto forma di parole. Perché per mangiare pensare non serve. Forse c'entrava anche questo con l'odio verso gli intellettuali: la cultura non può essere consumata, mentre oggi quello che ha valore deve essere divorato fino alla distruzione, fino a farlo sparire. Sarebbe potuta tornare, avrebbe trovato lavoro. In fondo il suo mestiere era la voracità degli altri. La cucina è l'arte in cui l'opera non si contempla: si divora.

Olivia camminava, sapendo vagamente di percorrere una U gigantesca che alla fine l'avrebbe condotta davanti al portone di casa. Si può andare via dal proprio Paese, si può scappare dalle proprie radici, ma non si può sfuggire ai tempi in cui si nasce e si vive: era una donna sola, senza genitori, impegnata in una relazione con un cuoco giapponese sposato, sospesa tra Italia e Inghilterra, che lavorava di notte e dormiva di giorno, cucinando dolci che non assaggiava neppure. Era arrivata davanti al Lazzaretto o a ciò che ne restava – una chiesa rotonda dentro un quartiere eritreo – quando udì chiamare il proprio nome:

"Olivia!".

Se qualcuno la chiamava, forse esisteva ancora.

"Olivia!"

Si voltò, cercando l'origine della voce. Un uomo tarchiato, con la barba folta e gli occhi lucidi, veniva nella sua direzione camminando con i piedi all'infuori.

"Olivia, non mi riconosci? Sono io."

Aveva attraversato la strada ed era a pochi passi, ormai. Le si fece incontro con la mano aperta e protesa, e lei lo riconobbe nell'istante esatto in cui la toccò.

Era Cosma, non lo vedeva da almeno quindici anni. Era sorpresa di quanto fosse cambiato. La memoria è come l'ambra preistorica che immobilizza gli insetti: fa rimanere le persone uguali a com'erano quando le abbiamo incontrate. Invece Cosma era diventato un altro. La barba e i capelli stavano ingrigendo, gli era cresciuta la pancia e gli si erano formate delle rughe agli angoli degli occhi, però lo sguardo era ancora lucido, come quando era bambino e sembrava sempre che avesse la febbre.

"Mi riconosci adesso?"

Olivia fece sì con la testa, ma qualcosa la trattenne dall'abbracciarlo.

"Come stai?"

Cosma si strinse nelle spalle.

"Hanno ucciso tuo padre, quei maiali," disse.

Poi aggiunse a voce più bassa, indicando il palazzo dove Olivia abitava: "Qui un giorno ci sarà una lapide per ricordarlo. Tuo padre sarà considerato un eroe".

Olivia alzò le sopracciglia: "Dici?".

Le venne il sospetto che Cosma non fosse lì per caso, ma in visita alla casa del martire.

Era sempre stato un tipo esagerato. Al liceo giocava a fare il rivoluzionario, maledicendo i tempi che non gli permettevano di diventarlo. Quelli al potere li aveva sempre chiamati fascisti, per ciò che non facevano più che per quello che facevano: non erano mai abbastanza democratici, abbastanza onesti, abbastanza di sinistra, abbastanza coraggiosi. Quanto più si avvicinavano al bene tanto più lui ne scorgeva il male, quanto più avrebbero desiderato essere perfetti tanto più lui ne denunciava l'imperfezione. E ora che tutto quello che aveva denunciato da sempre si stava finalmente avverando si sentiva terrorizzato ed eccitato, vivo come non lo era mai stato.

"Ho conosciuto dei ragazzi, Olivia, fanno sul serio..."

Olivia annuì di nuovo. Cosma continuò:

"Posso dirti che il quieto vivere è come una droga?".

Chissà perché le chiedeva il permesso. Nessuno poteva fermarlo.

"Ti abitua ad accettare l'ingiustizia e la mediocrità. Ma ora quei bastardi hanno reso tutto più chiaro. E le masse si solleveranno."

Olivia lo guardava, immaginando la massa, una folla sterminata che si sollevava nel cielo come palloncini gonfi di elio. Dentro lo sguardo di Cosma c'era un bisogno che nessuna felicità avrebbe potuto colmare.

11.

"Il mio problema è la noia, dottore."

La vocina del ministro risuonava nell'ombra, calma ma percorsa da impercettibili fremiti d'ansia. Frequentava lo psicoterapeuta ogni giovedì pomeriggio, e parlava sdraiato su una ~~dormeuse in stile Impero~~[17], senza mai fermarsi.

"Da quando ho capito come funzionano gli uomini, non mi diverto più." Lo psicoterapeuta spostò il sedere sulla sedia. Quel paziente lo metteva a disagio da sempre perché era troppo intelligente per farsi incantare dai termini tecnici o per accontentarsi della banalità. Però, ogni tanto, doveva pur intervenire con qualche domanda professionale:

"Si ricorda quando ha capito come funzionano gli uomini?".

Il ministro finì con calma di grattarsi la coscia sotto il sedere, dopodiché si ricompose e ridacchiò:

"Da ragazzino. Ero andato a fare i compiti dalla mia amica Olivia quando arrivò un altro bambino, una specie di cugino se non ricordo male, aveva un paio di anni meno di noi,

---

[17] Sostituire "dormeuse in stile Impero" con un più generico, ma molto più popolare, "divanetto". *Frun*

si chiamava Jorma o Beda o Cosma... Uno di quei nomi da figlio di intellettuali di sinistra, ha presente?".

Lo psicologo aveva presente. Si chiamava Giaime.

Il ministro alzò un ginocchio per grattare anche quello:

"Avevo appena imparato un trucco di magia, quello che ti fa indovinare il numero che un altro ha pensato. Ha presente?".

Lo psicologo non aveva presente e lo confessò. Il ministro spiegò:

"Si chiede a qualcuno di pensare un numero senza dirlo, poi gli si fa sommare un altro numero, per esempio 7, e sottrarre 3, aggiungere 20, togliere 10 e così via, e intanto si calcola mentalmente l'operazione che gli si chiede di fare senza considerare il numero iniziale. Alla fine gli si dice: 'Adesso sottrai il numero che hai pensato', in modo che il risultato sia la somma che hai deciso tu, non quella con il numero che ha pensato, ma il cretino non lo capisce e crede che tu gli leggi nel pensiero..."

Lo psicologo si era perso. In matematica e in magia era stato sempre scarsissimo. Il ministro gongolava.

"Doveva vederlo, Beda, o come diavolo si chiamava! Anche Olivia mi fissava piena di ammirazione. Feci da capo il trucco e, ogni volta che indovinavo, allo scemo gli crollava la mascella, come nei fumetti. Sentii che era in mio potere e che avrei potuto ordinargli di fare qualsiasi cosa."

"Le dava piacere?" chiese lo psicologo.

"Un piacere sublime," ridacchiò ancora il ministro, "il più grande che abbia mai provato." Poi inspirò profondamente con il naso, quasi volesse riempire d'aria il vuoto che gli si era formato al centro del corpo, e si grattò la testa. Lo psicologo, intanto, si fissava le unghie, pensando che quella sera stessa avrebbe dovuto limarle.

"Diamo troppa importanza ai singoli," disse il ministro,

"invece, mi creda, non contano. L'uomo è un animale sociale. Ha mai osservato una folla durante una partita di calcio?"

Lo psicologo trasalì perché con gli estranei e i pazienti non parlava mai della sua passione per l'Inter. Quando aveva cominciato a esercitare, era considerato disdicevole che un intellettuale amasse il calcio.

"Allo stadio mi ci portava mio padre da piccolo," continuò il ministro, "ma a me non piaceva, io il calcio lo odiavo, così osservavo il pubblico. E guardando gli spettatori ho imparato che quando il pallone è lontano, le mani brulicano come un formicaio, ma quando l'azione si avvicina alla porta, le mani si immobilizzano tutte insieme."

Nel silenzio che seguì lo psicologo osservò il pulviscolo danzare nel raggio di luce che filtrava da una fessura tra le tende. Il paziente continuò il monologo:

"Ci siamo illusi di essere liberi, invece le nostre emozioni hanno un andamento statistico. Gli uomini si muovono a sciami".

Il ministro tacque di nuovo, poi sospirò:

"Lei lo sa perché gli intellettuali sono così importanti?".

Lo psicologo non lo sapeva, ma sapeva che era una domanda retorica e non doveva rispondere.

"E lo sa perché sono pericolosi?"

Lo psicologo non aveva mai pensato che potessero esserlo. La voce flautata del ministro riprese a vagare per la stanza:

"Perché le emozioni sono facili, elementari. Se impari i trucchi, le puoi governare, mentre i pensieri rimangono liberi, vanno dove dicono loro e complicano le cose. Dove comanda la ragione, la statistica muore".

12.

Clelia aveva portato l'insalata di quinoa, Susanna e Ugo le "polpette alla curcuma cucinate da Rodrigo" (chi era Rodrigo?), Michele e Lia si presentarono con quattro bottiglie di pinot nero delle loro vigne nell'Oltrepò. La torta ~~sefardita~~[18] di Olivia fu presa in consegna da Anna, che l'avrebbe servita a fine serata insieme al gelato di cui aveva incaricato Cesare: "La crema vai a comprarla da Rag*gelato*, ché la fanno

---

[18] Piccola nota a margine: mi è venuta la curiosità di assaggiare la torta ~~sefardita~~ e ho scoperto che è buonissima e facile da preparare. Mi permetto di riportare di seguito la ricetta: bisogna bollire per 40' le bucce di due arance, poi tritarle insieme a 250 g di mandorle pelate e 100 g di zucchero; nel frattempo si frullano quattro tuorli con gli altri 100 g di zucchero e, a parte, si montano a neve i relativi quattro albumi. I composti così ottenuti andranno aggiunti alla crema di arance e mandorle (prima i tuorli, poi gli albumi a neve). Versare il tutto in una teglia rotonda, che cuocerà nel forno già caldo per 45'.

NB. Prima di estrarre la torta è importante lasciarla riposare in forno per altri 10'. Può essere guarnita con fette di arancia o spennellata di marmellata di albicocca a piacere. *Frun*

Frun, ma è completamente impazzito? *Funzionario Redattore Capo Salvo Pelucco, Autorità Garante per la Semplificazione della Lingua Italiana (II sez.)*

Ho pensato che magari a sua moglie faceva piacere. *Frun*

divina, da svenire, invece per il cioccolato è meglio *I scream* perché usano il cacao delle Dolomiti".

Appena consegnata la torta, Olivia si nascose in bagno imprecando: non si trattava di una cena per lei e suo padre, ma di una specie di festa in terrazza. Se lo avesse saputo non sarebbe venuta. L'idea di dover fare conversazione con sconosciuti o persone che non frequentava da anni la deprimeva, ma andarsene adesso sarebbe stato troppo scortese. In terrazza erano tutti moderatamente eccitati, tranne Cesare che si aggirava taciturno in maniche di camicia e bretelle. In alto, nel cielo, le rondini ~~garrivano~~[19] come stelle cadenti d'inchiostro sull'azzurro sbiadito di Milano[20]. Per evitare che gli invitati fossero divorati dalle zanzare, Anna aveva cosparso ogni angolo del terrazzo di zampironi giganti, incensi ~~all'azadirachta indica~~[21] e candelotti alla citronella.

"Che profumo, tesoro! Sembra di stare a Tangeri," disse Clelia consegnando il Tupperware con la quinoa a Luisela, la cameriera peruviana che stava con Cesare e Anna da sempre. Un attimo dopo si accorse di Olivia.

"Ah, ci sei anche te, cara! Ti piace la quinoa?" Olivia sorrise stringendosi nelle spalle.

---

[19] I garriti sarebbero i versi delle rondini. Ma il termine è classificato tra le parole tecniche o difficili. Sostituire con "volavano". *Frun*

[20] Anche se non contiene parole difficili, questa similitudine mi pare eccessiva, barocca, direi ginnasiale. Se la togliessimo, il testo ne guadagnerebbe. Posso cancellare? *Frun*

E adesso che cosa fa, Frun? Si mette anche a fare il critico letterario dopo il pasticciere? Lasci stare le metafore e non si impicci di questioni che non le competono. A furia di leggere sta diventando anche lei un radical chic? *Funzionario Redattore Capo Salvo Pelucco, Autorità Garante per la Semplificazione della Lingua Italiana (II sez.)*

[21] Cancellare (l'*azadirachta indica* o *nîm* è una pianta medicinale della famiglia delle meliaceae da cui si ricava un olio che avrebbe proprietà insettifughe). *Frun*

"Non tanto, la trovo un po' insulsa."

Le era sempre stata antipatica Clelia, fin da bambina. Una volta a Natale le aveva regalato una noce di cocco, per educarla al valore delle cose semplici. Era il periodo in cui si vestiva soltanto in arancione e si faceva chiamare Anand Shashi. Tutto lo chic di Clelia risiedeva nell'essere solo apparentemente radical. Ma fare domande le piaceva un finimondo.

"E allora, cara, come te la passi a Londra?" Olivia si strinse di nuovo nelle spalle.

"Non vivo a Londra, abito a Reading."

"Cos'è?"

"È una cittadina più a ovest dove fanno un famoso festival rock."

"Credevo facessero i reading a Reading..."

Olivia si strinse nelle spalle. "Lavoro in un ristorante."

Clelia sembrava perplessa, non riusciva a capire come la figlia del professor Giovanni Prospero potesse lavorare in una cucina, però aveva la domanda di riserva.

"E tuo padre, quand'è che lo seppelliscono, si sa?"

"Aspettano l'autopsia. In ogni caso non lo seppelliscono, voleva essere cremato."

"Davvero?" Per la prima volta Clelia ebbe un'esitazione. Non sapeva cosa dire. Ebbe una specie di brivido e le venne l'idea di uscire d'impiccio sdrammatizzando. "Tu lo sai cosa fa un pasticciere se gli muore la moglie?"

Olivia era pasticcera, ma lo ignorava. Dopo un secondo d'attesa, Clelia proruppe trionfante: "La crema!" poi senza aspettare la reazione di Olivia, si mise a parlare ad alta voce, ma tra sé e sé: "Io non la capisco questa mania della cremazione. Che gusto ci sarà mai a farsi bruciare? Vabbe' che lo fanno anche gli indiani. Ma vuoi mettere le pire sul Gange, che scenografia! Dicono che è più igienico e costa un po' meno, certo... E poi non devi neanche pensare alla lapide!".

Alla lapide Olivia in effetti non ci aveva pensato. Prima

di lasciare l'università aveva studiato e decifrato iscrizioni fu-
nerarie di mercanti di vino, donne morte di parto nel 542
durante la peste di Costantinopoli, e adolescenti, bambine,
tantissime bambine, soldati ~~palatini, esarchi ed eruditi~~[22], e
adesso che suo padre era morto non le era venuta in mente
nemmeno una frase con cui ricordarlo. Le venne in mente
che una sera di qualche anno prima, lui era andato a trovarla
in Inghilterra e Olivia lo aveva portato fuori a cena con i suoi
amici. A un certo punto al ristorante lui aveva scritto su un
tovagliolo di carta l'epigrafe che avrebbe voluto. Lo aveva
fatto per scherzo, per rendersi interessante con una ragazza
al tavolo, però a Olivia quei versi si erano stampati nella memoria.

Quando sarò morto,
e magari anche risorto,
spero che le mie ossa siano date in pasto a pesci e gabbiani
per far perdonare, se posso, le colpe di noi esseri umani.

In terrazza si beveva con moderazione, pinot nero e
mojito leggero, parlando dei fatti politici del giorno, come se
suo padre non fosse stato ammazzato, come se il mondo a
cui tutti appartenevano non fosse già finito. Olivia si era
messa in un angolo e, fumando, osservava. Che cosa distin-
gueva queste persone da quelle che vedeva mangiare al di là
del vetro nel suo ristorante? Questi qui parlavano di politica,
cinema e letteratura, mentre agli altri interessavano di più le
macchine o lo sport, ma era una differenza di argomento,

---

[22] Cancellare (Però ho un dubbio: il riferimento è reso necessario dal fatto
che anche il padre fosse un moderno "erudito"?). *Frun*

Cancellare. *Funzionario Redattore Capo Salvo Pelucco, Autorità Garante per*
la Semplificazione della Lingua Italiana (II sez.)

non di sostanza. E allora? Perché venivano attaccati? Perché un intellettuale ricco era più colpevole di un industriale o di un calciatore? Perché li chiamavano radical chic? Che cosa faceva di un radical chic un radical chic? Avere letto qualche libro in più e comprare cibi e vestiti etnici? Ma poi, i radical chic esistevano davvero?

Osservò gli invitati che si riempivano i piatti e si strafogavano. Li accusavano di essere ipocriti, di predicare bene e razzolare male, e forse era vero, ma uno come suo padre, uno come Cesare, razzolavano comunque meglio di quelli che non predicavano niente. Olivia cominciò a vagare per la terrazza, entrava in casa da una portafinestra e usciva dall'altra, e intanto ascoltava. Tra un apprezzamento sul cibo e un commento sull'ultimo articolo, il discorso tornava inevitabilmente sull'istituzione del Registro Nazionale degli Intellettuali e dei Radical Chic. Per quanto tentassero di apparire distaccati e di fare gli spiritosi, sembravano tutti molto preoccupati.

"Vogliono controllare quello che scriviamo," disse un tale piuttosto giovane che gli altri chiamavano Giulio.

"Guarda che mica lo capiscono quello che scriviamo!" gli rispose un altro più vecchio che portava una camicia con il colletto cinese.

Seguirono risolini di scherno, a cui si sottrasse soltanto quello che aveva parlato per primo, sempre più scandalizzato.

"Non vi rendete conto! Si parte così e si finisce per bruciare i libri."

"I miei peraltro non so più dove metterli..."

"Tra un po' ci imporranno quali parole usare!"

"Un po' di editing gratuito! E che sarà mai!"

"È la nostra libertà e vogliono togliercela!"

"Preferisci farti massacrare di botte come Giovanni?" smise di scherzare quello con il colletto cinese. Giulio non si fece distrarre. Abbassò soltanto la voce in un sussurro.

"Invece di punire chi aggredisce, controllano chi è aggredito."

"Finirà tutto in una bolla di sapone, credimi, Giulio," disse colletto cinese, posandogli una mano sulla spalla.

Giulio scosse la testa, sconsolato. Colletto provò a rincuorarlo:

"La sai quella dei due buzzurri che parlano di filosofia? Un buzzurro chiede all'altro: come si chiama quel filosofo che dice che se guardi troppo dentro l'abisso alla fine l'abisso guarderà dentro di te? L'altro non capisce: Ma sì, fa il primo, Nietzsche, quello di *Così parlò Balaustra*!".

Non rise nessuno.

Olivia si annoiava a morte, ma a casa sua sarebbe stata anche più triste. Non le erano mai piaciuti i discorsi autocompiaciuti, le parole usate per giocare, come ~~entità~~[23] indipendenti e incapaci di produrre effetti reali. Gli ~~effluvi~~[24] antizanzara la soffocavano quanto i discorsi, così si spostò verso il punto del balcone dove Anna teneva le erbe aromatiche. Un filosofo antico di cui si era scordata il nome ma che suo papà citava sempre, aveva detto, più o meno, che *la parola è un gran dominatore, che con un corpo piccolissimo e invisibile sa compiere cose divine, come calmare la paura, eliminare il dolore, suscitare la gioia e aumentare la pietà*[25]. Suo padre ci aveva creduto per tutta la vita alle parole, ed era morto quando avevano perso potere.

Olivia appoggiò i gomiti sul davanzale di pietra. In strada c'era una macchina nera in doppia fila. Le finestre del palaz-

---

[23] Il termine "entità" compare nel *Dizionario provvisorio delle parole vietate* dall'Autorità Garante per la Semplificazione della Lingua Italiana. Sostituire con "cose". *Frun*

[24] Sostituire con "profumi", "odori", "aromi", "fumi". *Frun*

[25] Si riferisce a Gorgia da Leontini, sofista del V secolo a.C. *Frun*

zo di fronte erano quasi tutte buie. Possibile che alle dieci e mezzo di sera la gente dormisse? Difficile che fossero tutti usciti a mangiare. Forse l'edificio era disabitato. Percorse la facciata con lo sguardo. Sulla sinistra una persona stava guardando la televisione. Un'altra finestra, più al centro, lasciava intravedere un letto e le gambe di una ragazza che si stava mettendo lo smalto. Olivia piegò la testa di lato per vedere di più, ma le persiane erano quasi accostate. Per un attimo il fumo della sigaretta le passò davanti agli occhi. Quando si dissolse vide un'altra finestra illuminata.

13.

Una volta a settimana, salvo imprevisti, il ministro mangiava a casa di sua madre. A lei piaceva stare in piedi, di fianco a lui, e attendere senza parlare. Il tavolo di fòrmica di norma era ricoperto da una tovaglia di cotone a fiori. Il menu poteva variare, ma poco, poiché la madre conosceva i piatti di cui il figlio andava ghiotto. Quella sera gli aveva preparato i maccheroni alla monzese, quelli con la salciccia, e, per secondo, scaloppina di vitello, che aveva già infarinato e disposto su un piatto accanto ai fornelli. Di solito dopo cena il figlio tornava a Roma con l'aereo di Stato, quindi in strada lo aspettava sempre l'autista, ma capitava anche che si fermasse a dormire e, quando accadeva, lei rimaneva sveglia a lavargli e stirargli la camicia per il giorno dopo.

"Ti fermi?" gli chiese.

"Torno a Roma, mamma, ma domani può darsi che sia di nuovo qui."

La donna lo osservava mangiare senza farsi vedere perché a lui dava fastidio. Per non schizzarsi di sugo si era allentato la cravatta e l'aveva buttata dietro una spalla. La camicia bianca gli tirava sulla schiena e sul petto.

"Sei ingrassato," gli disse la madre.

Il ministro aveva la bocca piena, e così sospirò con il naso. A lei faceva impressione il pensiero che quell'uomo pesante più di un quintale potesse averle abitato la pancia. Che ne fosse addirittura uscito le faceva un po' senso. Da piccolo era mingherlino: era cresciuto improvvisamente a diciotto anni, qualche settimana dopo la morte del padre, quasi che i geni del morto si fossero accesi nel vivo. Adesso mangiava famelico, senza masticare. Non sembrava contento.

"Fa una luce schifosa questa lampadina, mamma."

"È a basso consumo."

"Mamma, cambiala. Posso pagare le bollette, faccio il ministro."

"Non è una buona ragione per buttare i soldi."

La madre gli riempì d'acqua il bicchiere e si voltò verso i fornelli per accendere il fuoco con l'accendigas elettrico. La scaloppina veniva più buona se la padella era calda. Il ministro ingollò il cibo, trangugiò l'acqua, poi deglutì. Conosceva quel tono di voce: sua madre doveva rimproverargli qualcosa.

"Dimmi, mamma."

"Non mi piace come hai trattato quel signore in tv."

"Quale signore, mamma?"

"Quello che hanno ucciso. Il professore."

Le labbra del ministro schioccarono una volta sola.

"Non l'ho ucciso io, mamma."

"Non l'hai neanche protetto."

"Non era compito mio. Doveva evitare di far lo spocchioso."

"In tv quello arrogante eri tu."

Il ministro distolse lo sguardo e cominciò a far girare l'indice sul bordo del bicchiere.

"Io mi sto spaccando la schiena per questo Paese, mamma, e questi qui vengono a fare i maestrini."

"Non aveva detto niente di male."

Il ministro sollevò gli occhi dal dito che continuò a roteare sul bicchiere e fissò la donna.

"La gente non ne può più di sentire lezioni."

"Se ascoltasse qualche lezione forse migliorerebbe."

"Non vogliono, mamma. E non possono perché non capiscono."

La madre abbassò il fuoco perché il burro sfrigolava e si stava annerendo, poi con la forchetta distese la scaloppina.

"Se tu non avessi ascoltato le lezioni non saresti diventato ministro."

"Cosa c'entra, mamma, io sono diverso!"

"Me lo ricordo com'eri da bambino e al liceo, cosa credi? Leggevi, studiavi e parlavi di cose che io non capivo. Ti ricordi com'era orgoglioso di te il papà?"

Il figlio annuì annoiato. Era una predica sentita un milione di volte.

"E adesso parli che sembri uno scaricatore di porto. Sei diventato volgare. Dici solo cose semplici e stupide. Sembra che ti impegni a sembrare ignorante. Che cosa ti è successo?"

"Mi piace comandare, mamma."

"E per comandare l'intelligenza non serve?"

"Soltanto se la tieni nascosta."

14.

Olivia si versò un sorso di vino e si lasciò cadere sulla panca addossata al muro. Gli altri erano ancora immersi nel discorso di prima, che sembrava essere iniziato da sempre e non dovere finire mai. Olivia pensò che anche la noia è un rito, e si accese un'altra sigaretta. Il fumo le uscì di bocca bianco contro il buio del cielo.

"Sei rimasta l'ultima al mondo a fumare Gitanes senza filtro..."[26]

Olivia si voltò e vide Cesare seduto di fronte a lei nella penombra. Non si era accorta di lui.

"Sei rimasto l'ultimo al mondo a portare le bretelle." Cesare levò il bicchiere per brindare.

"Agli ultimi al mondo!"

---

[26] Pur esulando da un ambito strettamente linguistico, segnalo che l'espressione "gauche-gitanes" può essere considerata antesignana della più fortunata "gauche-caviar", a sua volta all'origine della cosiddetta "sinistra champagne" o, appunto, all'espressione "radical chic". *Frun*

Grazie della segnalazione, funzionario, ma d'ora in avanti si attenga al compito assegnatole, tanto più che la sua annotazione esibisce un linguaggio involuto e sospetto. *Funzionario Redattore Capo Salvo Pelucco, Autorità Garante per la Semplificazione della Lingua Italiana (II sez.)*

Olivia sorrise e finì il suo vino, poi tirò un'altra boccata, succhiando la sigaretta fino a sentire il fumo incanalarsi in fondo ai polmoni. Si tolse con le dita una fogliolina di tabacco che le era rimasta appiccicata alle labbra e con un cenno del mento indicò a Cesare gli invitati in attesa dei dolci.

"Perché la gente vi detesta così tanto?"

Cesare sollevò uno zigomo: "Gli intellettuali, dici?".

"Sì, voi."

Cesare si toccò la bocca con l'indice e il medio. Era il suo modo di prendere tempo quando stava per dire qualcosa che lo imbarazzava.

"Tuo padre diceva che i professori universitari sono come quei molluschi che, quando trovano uno scoglio, ci si attaccano per sempre e iniziano a nutrirsi del proprio sistema nervoso."

"Che cosa vuol dire?"

"Che quando sei troppo sicuro smetti di pensare, ti mangi il tuo stesso cervello. E non servi più a niente."

Olivia fece un altro cenno in direzione del tavolo, intorno a cui si accalcavano gli invitati eccitati dai dolci.

"A giudicare da come spingono, hanno ancora fame."

Il vecchio rise.

"Il cervello non è molto saporito. I dolci sono meglio."

Rimasero in silenzio finché lei spense la sigaretta nel piatto, tra i resti di cibo avanzato.

"Prima a che cosa servivate?" disse.

"A pensare e scrivere per chi non sapeva farlo. Adesso, invece, scrivono tutti."

Il vecchio prese un altro sorso di vino.

"Ti ho detto che ho sentito tuo padre al telefono il giorno prima che andasse in tv?"

Olivia non lo sapeva. Cesare continuò: "Non voleva andarci, era indeciso, sono stato io a convincerlo. Forse se non lo avessi fatto sarebbe ancora vivo. Prima di chiudere la telefonata mi ha detto: 'Abbiamo aspettato per tutta la vita la Rivoluzione francese, ma quando è arrivata gli aristocratici eravamo noi'".

Olivia non si era resa conto che suo padre fosse così scoraggiato negli ultimi tempi, prima di essere ucciso.

Cesare infilò il pollice destro sotto la bretella. "~~Ci siamo illusi che gli uomini avessero scelto la ragione contro la religione, la scienza contro la fede, e invece la ragione non ha vinto mai. È stata la fede nella ragione a comandare per un po'.~~"[27]

"Questo non spiega perché vi odino tanto."

"Non lo so, ma un sapiente di cui non ti fidi diventa un imbroglione che ti vuole fregare. Però fa parte dell'ordine della storia. Pensa agli scriba egiziani, ai mandarini della Cina, agli eunuchi persiani, ai monaci amanuensi o ai certosini. Chi si ricorda chi erano? Come hanno usato il loro potere? Che cosa hanno lasciato? A che cosa sono serviti?"

"Se non lo sai tu," disse Olivia. Cesare si grattò la testa.

"A custodire il sapere, forse. A ricordare i nomi delle cose."

Cesare voleva dire ancora qualcosa, ma in quell'istante dall'interno della casa sopraggiunse un uomo agitato con i riccioli.

"Correte a sentire! Venite a vedere!"

Davanti alla tv si era radunata una piccola folla. Olivia notò Cosma, doveva essere arrivato mentre lei parlava con Cesare. Fissava infervorato lo schermo su cui una giornalista parlava al microfono dando le spalle a una cattedrale romanica: "Intorno alle 19 un commando di quattro persone mascherate ha fatto irruzione nella sala dove si stava tenendo una riunione del comitato direttivo del Festival dei Due Mondi di Spoleto. Dalle prime ricostruzioni, i malviventi

---

[27] Concetto difficile: cancellare. *Frun*

hanno fatto sdraiare a terra le sette persone presenti e le hanno uccise con un colpo di pistola alla nuca". Sullo sfondo, la gente salutava con la mano o fotografava la telecamera con il telefonino. La giornalista proseguì: "I killer hanno fatto perdere le loro tracce. L'azione è stata rivendicata poco fa su Internet dalle Brigate Beata Ignoranza".

15.

La Commissione era al lavoro dal primo mattino. A comporla erano tredici membri: un Presidente nominato dal Governo con potere di indirizzo e sei tra scrittori, studiosi e linguisti, oltre a sei commissari sorteggiati a caso in rappresentanza del popolo: una commercialista, un personal trainer, una maestra elementare, un meccanico, una modella e un fantino. Fu subito individuato un metodo elementare, ma efficace: i sei membri acculturati si davano il turno nel leggere a voce alta i 250mila lemmi del Dizionario *Devoto-Oli* (lo *Zingarelli* fu scartato a causa del nome imbarazzante, tanto più nella versione con Cd-Rom) e i sei commissari popolari ascoltavano, soffiando dentro un fischietto tutte le volte in cui si imbattevano in un termine di cui non conoscevano il significato. Nelle intenzioni del governo il lavoro ~~avrebbe dovuto protrarsi~~[28] per quindici giorni, ma già a fine mattina fu chiaro che i commissari procedevano a rilento e che per giungere alla lettera Zeta ci sarebbero voluti due anni. Le cose non andavano meglio nella Sottocommissione per la Semplificazione Popolare della Sintassi, i cui quattro membri

---

[28] Sostituire "avrebbe dovuto protrarsi" con "sarebbe dovuto durare". *Frun*

(due intellettuali e due popolari: un'astronauta e un salumiere) passavano il tempo a scannarsi invece che a semplificare.

Per velocizzare le operazioni, il governo decise con decreto d'urgenza di requisire l'edificio della più grande casa editrice italiana, che fu trasformato nel quartier generale della riforma. I vecchi impiegati e giornalisti furono licenziati dall'oggi al domani per fare posto all'esercito dei funzionari redattori del Garante della Semplificazione[29], incaricati di vagliare l'intera produzione editoriale passata, presente e futura alla ricerca di ~~lemmi, sintagmi e~~ parole difficili, oltreché, beninteso, agli uffici del Garante in persona e delle Commissioni e Vicecommissioni tutte. Il "Ministero dell'Ignoranza", come lo ribattezzarono i media, era un edificio sinistro e avveniristico (ma di un avvenire trascorso senza essere mai accaduto), edificato per celebrare la potenza dell'editoria in anni in cui l'editoria si sentiva potente. Sorgeva nel nulla alla periferia est di Milano ed era dotato di tutto – ufficio postale, mensa, spaccio aziendale – in modo che non se ne potesse uscire mai più. D'inverno scompariva inghiottito dalla nebbia, d'estate dalle zanzare. Le arcate e le vetrate monumentali erano circondate, come un castello da un fossato, da un laghetto rettangolare nelle cui profondità nuotavano carpe gigantesche e mostruose che, stando ai racconti dei vecchi impiegati, non di rado saltavano fuori dall'acqua per sbranare le anitre o, addirittura, i più malandati tra loro.

I funzionari redattori prendevano servizio all'alba e lasciavano l'edificio a notte inoltrata. Li si vedeva ogni mattina

---

[29] ~~Uno sono io! *Fran*~~

- -

Si astenga da personalismi. *Funzionario Redattore Capo Salvo Pelucco, Autorità Garante per la Semplificazione della Lingua Italiana (II sez.)*

e ogni sera mentre entravano e uscivano in fila indiana sulla passerella in cemento armato che attraversava il laghetto. Lavoravano a cottimo: un tot per ogni parola scovata. Erano laureati, furenti e determinati: volevano ripulire il mondo dalle parole inutili. Indossavano abiti e tailleur eleganti, ma da poco, qualcuno aveva i piedi piatti, altri a papera, quasi tutti trasportavano zainetti in cui, insieme agli incartamenti vari, custodivano i contenitori di plastica in cui la sera prima avevano messo le pietanze preparate a casa per risparmiare[30].

Parallelamente al lavoro di semplificazione della lingua scritta e parlata, occorreva occuparsi delle persone. In poco più di una settimana il ministero completò il programma di assunzioni di massa dei funzionari ispettori, per avviare i controlli casa per casa con una forza d'urto sufficiente a censire ogni intellettuale italiano. Ne sarebbero stati ingaggiati cinquemila, di cui centocinquanta scelti tra quelli che si erano messi in fila davanti al ministero dell'Interno il giorno dell'annuncio dell'istituzione del Registro. Non era necessario che fossero laureati, anzi, sarebbe stata un'ingiusta discriminazione, bastavano l'onestà e la voglia di fare. Per non gravare troppo sulle casse dello Stato si decise che sarebbero stati pagati come cacciatori di taglie, concedendo loro un bonus per ogni intellettuale censito.

Nella società gli effetti delle politiche governative erano già visibili. La strage al Festival di Spoleto aveva destato grande impressione. Se gli omicidi di Prospero e Pin potevano essere ~~derubricati a~~[31] casi isolati, l'agguato della Brigata Beata Ignoranza segnava un salto di qualità. Commentando a caldo la notizia, il ministro dell'Interno aveva detto che si

[30] La descrizione mi sembra attinente, purtroppo. *Frun*
[31] "Classificati come." *Frun*

trattava di uno sprone in più per accelerare. Molti intellettuali e lettori di libri cominciarono a essere terrorizzati davvero. Chi non voleva essere censito corse a sbarazzarsi degli indumenti sospetti: giacche di tweed, scialli afghani, mocassini in velluto, camicie a scacchi. Nottetempo i cassonetti gialli degli abiti usati si riempirono fino a traboccare, ma rimasero per lo più ignorati dai bisognosi, restii a indossare abiti ~~anacronistici~~[32]. Alcuni ebbero la reazione contraria: chi sentiva il bisogno di appartenere a qualche categoria ~~purchessia~~[33] cercò di facilitare la propria classificazione facendosi vedere in pubblico in sandali indiani o bastone di avorio (a Genova uno, per farsi notare, noleggiò un calesse e diede pubblica lettura del trattato *Dei delitti e delle pene* di Cesare Beccaria).

Il censimento dei libri scatenò la stessa doppia, inconciliabile, attitudine. Da una parte vi fu chi colse l'occasione dell'editto per sbarazzarsi finalmente delle biblioteche che affollavano la casa e toglievano spazio agli umani: libri ereditati dai padri e dai padri dei padri, rigonfi di pagine su cui avevano pianto e sognato madri e trisavole, oppure libri letti da bambini e dimenticati, libri richiusi, abbandonati o mai aperti, che dalle pareti, come mattoni, avevano trasformato le loro abitazioni in prigioni di carta;[34] dall'altra vi fu chi ostentò il proprio amore per le belle lettere declamando dal balcone al vicinato i canti di Lautréamont, le fiabe di Lafca-

[32] "Fuori moda." *Frun*

[33] Cancellare senza sostituire. *Frun*

[34] Mi sono trattenuto fin qui, ma al trentunesimo punto e virgola non posso più tacere. È mio dove ricordare che il Comma 2. Art.10§6 DL 17/06 n. 1728 recita: "Il ricorso alla punteggiatura, quand'anche necessario, deve ~~essere improntato a~~ chiarezza ed economia". *Frun*

\- -

(Peraltro sostituirei "essere improntato a" con "rispettare".) *Frun*

dio Hearn o, più patriotticamente, quell'ode alla lettura e alla navigazione che è il racconto *Otto scrittori* di Michele Mari[35]. Qualcuno si fece addirittura tatuare il logo della casa editrice Adelphi sul polpaccio, pur non avendo mai superato pagina 30 di nessun libro avesse intrapreso. In pochi, fiutato il vento nuovo, cercarono di farsene riempire le vele, mettendosi al servizio del popolo, che però declinò l'offerta: nessuno, neppure il re degli ignoranti, una volta avuto in dono dai social il potere inebriante delle parole, accetterebbe di farsele suggerire da altri.

Nonostante il trambusto e l'improvvisazione, le ispezioni cominciarono davvero: funzionari del ministero dell'Interno si presentavano all'alba con un mandato di perquisizione nelle abitazioni di editori, professori e scrittori, dopodiché si mettevano a esaminare libri e vestiti, chiedendo chiarimenti ai padroni di casa.

"Mi dica, signora..."

"Guardi che dica è un congiuntivo..."

"Anche guardi è un congiuntivo."

"No, guardi è la seconda persona: tu guardi."

"Mi sta dando del tu?"

"Non mi permetterei mai..."

"Permetterei è condizionale."

"Non saprei."

"Anche saprei."

"Allora mi scusi."

"Congiuntivo."

"Cosa devo fare?"

[35] (Anche io l'ho trovato splendido. *Frun*)

16.

E venne il giorno del funerale. Espletata con molto comodo l'autopsia, chiusa con molta calma la fase delle indagini preliminari, si poté finalmente affermare con certezza quello che era stato chiaro fin dall'inizio: il professor Giovanni Prospero di anni 72, nato a Milano e ivi residente in via Ozanam al numero 4, era stato ammazzato di botte. Lo chiariva il referto, nero su bianco: "La morte è sopraggiunta a causa delle lesioni interne, in special modo di fegato e pancreas, di tale entità da indurre un versamento emorragico. Il decesso è collocabile tra le 4 e le 6 di mattina, ma il momento esatto è impossibile da stabilire con certezza". Quanto a quello che non si sapeva, non lo si sarebbe mai saputo, a cominciare dall'identità dell'assassino (o degli assassini). Le indagini della polizia furono alquanto rispettose, non dissiparono incertezze: sul cadavere non erano state rilevate impronte digitali, mentre su muri, corrimano e porta di casa ce ne erano fin troppe; a queste illeggibili tracce andavano inoltre sommate le multiple orme che costellavano pianerottolo e scale. Insomma, ad ammazzare il padre di Olivia erano stati tutti o nessuno.

La cerimonia funebre si sarebbe tenuta dalle 10.15 del mattino, ma Olivia aveva calcolato male i tempi e si era presentata con un certo anticipo. La casa funeraria era un parallelepipedo giallo piovuto dallo spazio profondo nel bel mezzo di un prato verdino alla periferia di Milano. La facciata era tagliata a metà da due file di finestre quadrate, e un'unica scritta ricordava ai passanti il ~~core business~~[36] della casa: "Onoranze funebri Città di Milano".

Quel giorno era venerdì e a quell'ora in giro c'erano solo cani e padroni. Olivia decise di camminare. Non aveva voglia di vedere la bara di suo padre e non aveva voglia di chiacchierare e sorridere a tutti quei vecchi, arrivati anche per giudicarla. La festa di Cesare e Anna le era bastata. Un campetto da basket deserto. Un'edicola senza più giornali. Un chiosco di fiori chiuso. Magoo non sarebbe venuto, ovviamente: il figlio più piccolo aveva preso gli orecchioni. Le aveva chiesto quando sarebbe tornata – forse era un modo per dirle che aveva bisogno di lei – e Olivia non aveva saputo rispondere. Era una di quelle storie che si inventano da sole, giorno dopo giorno, rinnovandosi di due anni in due anni come i contratti d'affitto, eppure nei pomeriggi in cui lui veniva a trovarla e le scivolava nel letto, con tutte le sue gentilezze orientali, loro due stavano insieme e un'ora bastava. Conducevano vite parallele, ma le vite parallele funzionano finché nessuno ha bisogno. A Olivia era sempre parso inconcepibile sceglliersi un'unica vita, così era rimasta sulla soglia, e non ne aveva avuta nessuna. Al ristorante non l'avrebbero aspettata in eterno e doveva decidere che cosa fare dell'appartamento.

Camminò in tondo per cinque minuti, finché le riapparve il cancello. Calpestò la ghiaia del vialetto, salì tre gradini e spinse la porta a vetri che immetteva nella camera ardente sorprendendosi che fuori non ci fosse nessuno. Invece dentro c'era una marea di persone. Ovviamente erano vecchi colleghi, ma c'erano anche ex studenti ormai cinquantenni,

---

[36] Termine tecnico: sostituire con "la principale attività". *Frun*

giovani che non aveva mai visto, gente del quartiere, il barbiere dove suo padre andava a farsi la barba quando lei ancora viveva a Milano, e stavano tutti in silenzio, in attesa di lei. La maggioranza era già stata schedata nel Registro degli Intellettuali e dei Radical Chic. Un paio di pennelloni in grisaglia, che avevano l'aria di essere stati mandati proprio per fare domande ai possibili candidati, si aggiravano con fare finto contrito, attaccando bottone con chiunque. Scoppola, il commissario, non c'era, aveva altri impegni, però le aveva mandato un messaggio di condoglianze, in ossequio alle forme. Un signore con la giacca cosparsa di forfora le sussurrò all'orecchio che dopo l'omicidio i libri di suo padre stavano vendendo benissimo: l'ultimo era stato addirittura ristampato. Quando pronunciò il proprio nome, Olivia si ricordò di lui: era l'editore contro cui suo papà imprecava perché in libreria i suoi libri non arrivavano mai. (D'altronde non è che la gente facesse a botte per accaparrarsi un saggio sulla concezione del male in Nicolas Malebranche.)

Olivia attraversò la folla stiracchiando sorrisi e raggiunse il palchetto invaso da fiori – bruttissimi: Anthurium, Gerbere, Lilium – dietro a cui Cesare la stava aspettando. Salendo si voltò a guardare il pubblico: molti erano soltanto curiosi, bastava vederli, uomini e donne che in vita loro non avevano letto nemmeno una riga, ma che erano stati richiamati dal clamore dell'evento a riscaldarsi le ossa al calduccio di una morte popolare. Rappresentanti delle istituzioni non se ne vedevano, molti occhi, però, luccicavano. Forse suo papà, mentre lei era via, non era stato solo. Olivia passò in rassegna le facce e fu attraversata dal pensiero che ci fossero anche gli assassini, sicuri che nessuno li avrebbe mai cercati, come nessuno stava inseguendo quelli del professore di Treviso o i massacratori di Spoleto. Si voltò a osservare la bara. Era minuscola. Pareva una scatola da scarpe. È strano come sembrano piccoli i genitori, da morti.

Cesare accese il microfono che gracchiò nella sala silenziosa, poi le fece segno di dire qualcosa. Lei si sistemò sulla pedana, si schiarì la gola e disse soltanto "grazie di essere qui". Anna e Clelia, in prima fila, la osservavano da sotto in su. Cosma, invece, non era venuto. Olivia si fece di lato, per fare posto a Cesare Gandini che si abbassò sul microfono. Disse che Milano era diversa senza Giovanni, poi chiese se qualcuno aveva voglia di parlare, ma tutti abbassarono gli occhi. Cesare aspettò dieci secondi, si frugò nelle tasche della giacca e ne estrasse un foglietto a quadretti spiegazzato su cui qualcuno aveva scritto a mano qualcosa.

"È una lettera che Giovanni mi ha scritto un anno fa. Sono sicuro che vorrebbe condividerla con voi perché spiega quello che pensava davvero".

Olivia si toccò il lobo dell'orecchio: Cesare non le aveva detto niente della lettera. E lei non sapeva quello che pensava davvero suo padre. Cesare infilò gli occhiali da lettura, dispose i fogli sul leggio e afferrò il primo.

Testamento intellettuale di Giovanni Prospero letto al suo funerale dall'amico Cesare Gandini.

Molti segni ci dicono che l'umanità sta imitando le spugne di mare, che non hanno un cervello perché non l'hanno voluto. Milioni di anni fa questi simpatici animali[37], così utili

---

[37] Scientificamente parlando, le spugne di mare, o porifere, sono classificabili come *phylum animali*, appartengono cioè, al pari di alcuni vermi, artropodi e anellidi, al sottoregno animale. *Frun*

Funzionario, è pregato di astenersi da annotazioni scientifiche improprie, che invece di semplificare complicano! *Funzionario Redattore Capo Salvo Pelucco, Autorità Garante per la Semplificazione della Lingua Italiana (II sez.)*

e piacevoli sotto la doccia, avrebbero potuto sviluppare un si-
stema nervoso, invece rinunciarono per ragioni evolutive:
possederlo era inutile e richiedeva troppa fatica. Non aveva-
no torto: se quello che devi fare nella vita è filtrare acqua alla
ricerca di particelle di cibo a che cosa ti serve pensare e prova-
re emozioni?

È un dubbio che gli uomini di oggi possono riformulare
senza punto di domanda: se quello che devi fare nella vita è
filtrare informazioni alla ricerca di ciò che confermerà quello
in cui già credi, cercare di comprendere come stanno davvero le
cose è solo un fastidio.

Pensare è sfiancante per le spugne, figurarsi per gli uomini.
Al primo posto della classifica degli organi per consumo ener-
getico c'è, appunto, il cervello che divora il 19 per cento dell'e-
nergia complessiva del nostro corpo, seguono con il 18 per cen-
to i muscoli rossi o volontari (cioè bicipiti, tricipiti, facciali
ecc.), mentre fegato e milza sono terzi a pari merito con il 13,
seguiti dai reni con il 10 e dal cuore con il 7 per cento. Quello
del cervello è un consumo abnorme soprattutto se paragonato
a quanto richiedono organi meno invadenti e molto più piace-
voli, come per esempio l'apparato genitale.

Mille volte nella nostra vita ci è accaduto di ascoltare di-
scorsi idioti. Ma ogni volta sapevamo che, attraverso la parola,
la ragione e il dialogo, la presenza dell'ala dell'imbecillità si
sarebbe attenuata, fino a farsi riassorbire nei confini del ragio-
nevole. A quei tempi la chiamavamo "egemonia culturale", e
non era il predominio di una visione politica sull'altra, ma il
dominio dell'intelligenza sulla stupidità[38]. *Ancora adesso*
quando mi domando a che cosa serva la cultura, l'unica rispo-
sta possibile mi sembra questa: la cultura è una strada o un
contenitore che cerca di ricondurre a ragione gli istinti di cui

---

[38] Difficile: cancellare. *Frun*

pure è formata, e di riportare all'interno della civiltà le spinte che vorrebbero azzerarla.

Questo meccanismo è saltato. La battaglia mi sembra perduta. ~~L'egemonia culturale è finita~~[39]. *Il valore della ragione era legato soprattutto al suo impiego materiale: studiare migliorava la vita. Da quando non succede più, la conoscenza ha perso valore. È un cambio epocale e porterà la guerra, prima o poi,*

---

[39] Il concetto di "egemonia culturale" fu teorizzato dal pensatore italiano Antonio Gramsci. Significa che la classe dominante cerca di indirizzare la società nella direzione più consona alla sua visione del mondo, una visione che influenza la struttura economica della società stessa. *Frun*

È un'espressione complessa che semplificherei cancellandola. *Funzionario Redattore Capo Salvo Pelucco, Autorità Garante per la Semplificazione della Lingua Italiana (II sez.).*

Mi perdoni, dottor Pelucco, ma una precisazione è necessaria. Il professor Prospero sostiene qui implicitamente che l'egemonia culturale non appartenga a una classe in particolare, ma sia una tendenza connaturata alla cultura in quanto tale perché la cultura cerca sempre per sua natura, al contrario dell'ignoranza, di spingere gli uomini a migliorare la società in cui vivono attraverso la ragione.

Diversa, invece, l'idea della "prevalenza del cretino", che è il titolo del primo volume della cosiddetta *Trilogia del cretino* della coppia di scrittori italiani Fruttero&Lucentini. A *La prevalenza del cretino* (1985) seguirono infatti *La manutenzione del sorriso* (1988) e *Il ritorno del cretino* (1992). Scrivono, per esempio F&L nel 1985: "È stato grazie al progresso che il contenibile stolto dell'antichità si è tramutato nel prevalente cretino contemporaneo, personaggio a mortalità bassissima la cui forza è dunque in primo luogo brutalmente numerica; ma una società ch'egli si compiace di chiamare 'molto complessa' gli ha aperto infiniti interstizi, crepe, fessure orizzontali e verticali, a destra come a sinistra, gli ha procurato innumeri poltrone, sedie, sgabelli, telefoni, gli ha messo a disposizione clamorose tribune, inaudite moltitudini di seguaci e molto denaro. Gli ha insomma moltiplicato prodigiosamente le occasioni per agire, intervenire, parlare, esprimersi, manifestarsi, in una parola (a lui cara) per realizzarsi". *Frun*

Lei sta seriamente rischiando il licenziamento, Funzionario Redattore Ugo Nucci. *Funzionario Redattore Capo Salvo Pelucco, Autorità Garante per la Semplificazione della Lingua Italiana (II sez.)*

perché la ragione per definizione comprende, distingue, rifiuta le semplificazioni e la logica amico/nemico, mentre la fede crede o non crede.

La colpa è anche nostra, per carità: in molti, per vanità e pigrizia, abbiamo preferito ascoltarci e farci ascoltare invece che ascoltare. Ma anche per gli uomini-spugna non esistono scuse: sanno leggere e scrivere, ormai, e potrebbero informarsi su tutto. Se credono alle sirene, ai guaritori e ai complotti degli Ufo, la colpa è anche loro. L'ignoranza non è più soltanto una condizione, oggi è anche una scelta. ~~Siamo passati dall'egemonia culturale alla prevalenza del cretino~~[40].

Forse, mi dico, è anche questione di come il tempo ci appare: se tutto è presente e i fatti emergono per un istante prima di risprofondare nell'indistinto, non ha senso fare lo sforzo di metterli in fila: cercare una coerenza è inutile, si può dire tutto e il suo contrario, volta per volta, perché ogni istante è slegato dagli altri, un pulviscolo da assorbire senza farsi troppe domande.

Tanto vale accettare di avere puntato sul cavallo sbagliato e godersi lo spettacolo sgangherato della stupidità che va in scena, rinunciare all'antica perdente pretesa di correggere le argomentazioni deliranti e all'idea di poter fare ragionare individui che l'energia destinata al cervello hanno preferito impiegarla per andare in palestra.

La gente applaudì e Olivia si sorprese che nessuno si fosse offeso. La facilità con cui gli esseri umani si identificano

---

[40] Anche questo mi pare un concetto troppo difficile: cancellare (però mi ha fatto ridere :)). *Frun*

Non faccia commenti, funzionario Redattore Ugo Nucci! *Funzionario Redattore Capo Salvo Pelucco, Autorità Garante per la Semplificazione della Lingua Italiana (II sez.)*

con chi critica invece che con chi è criticato aveva sempre il potere di meravigliarla. Non era sicura che suo papà avesse ragione. Chi poteva davvero dire, in onestà, di conoscere? Il dovere degli intellettuali non doveva essere il dubbio, anche su se stessi? Le persone che battevano le mani avevano studiato l'arte retorica di Cicerone, imparato a memoria la mnemotecnica di Lullo e fatto esperimenti di meccanica quantistica? Oppure, più semplicemente, ognuno nel suo campo aveva acquisito competenze specifiche che non voleva fossero messe in discussione?

Un meccanico avrebbe reagito nello stesso modo se qualcuno lo avesse accusato di non sapere aggiustare le automobili. E se al ristorante qualcuno si fosse azzardato a dire che lei cucinava per fregare i clienti invece che per soddisfarli, si sarebbe offesa a morte. Suo padre, invece, lo avevano ammazzato. Cesare, sfiorandole un gomito, le fece segno di muoversi e Olivia scese dal palco. La gente le si fece intorno, le strinsero le mani, la abbracciarono, un uomo minuscolo, quasi un nano, pretese di baciarla, e lei si abbassò, salutò, baciò e abbracciò, senza conoscerli. Capì che la sua decisione era presa: presto sarebbe ritornata a Reading, non aveva senso restare. Per un po' avrebbe tenuto la casa, per non spostare i libri e non sentirsi troppo sola. Le pareva che nessuno c'entrasse con la sua vita tranne l'uomo nascosto in quella piccola bara che non avrebbe rivisto mai più. Tutti erano riusciti a morire, dalla preistoria. Le era sempre sembrata una cosa paurosa e difficile. Anche da piccola. Un giorno aveva domandato a suo papà che cosa fosse la morte. Lui le aveva risposto:

"Lo sa soltanto chi è morto. Per me ci si addormenta e si sogna".

Olivia aveva chiesto:

"Anche gli incubi?".

17.

"Mi dispiace di non essere venuto."

Olivia sbarrò gli occhi e scattò sul lato opposto del letto, rannicchiando le ginocchia contro il petto. Quella voce l'aveva svegliata di colpo. Seduto su una sedia, nel buio, a pochi centimetri da lei, c'era un uomo, immobile come se la stesse vegliando.

L'uomo aggiunse sottovoce: "Sto parlando del funerale, Ollie. Avrei voluto esserci".

Olivia riusciva a distinguere soltanto il suo profilo. Era grosso, ma la voce era flebile.

"Non voglio farti del male."

Il cuore di Olivia rimbalzava dentro e fuori dal petto come una rana terrorizzata dall'idea di saltare. Il respiro le si era quasi fermato. Ma le pupille si stavano dilatando per succhiare la luce scarsa che filtrava dalla strada. Ora riusciva a vederlo. Teneva le gambe larghe e i gomiti appoggiati sulle cosce mentre le mani sorreggevano il mento.

"Ti avevo detto," sussurrò il Primo ministro, "che sarei passato."

Stirò la schiena, per sgranchirsi. Si aspettava una risposta. Olivia riuscì a sibilare:

"Come sei entrato?".

Lui non si mosse.

"Sono il ministro dell'Interno. Entro in ogni casa, se voglio."

Olivia cercò con le dita l'interruttore e accese l'abat-jour. Lui la fissava con uno sguardo tristissimo. La camicia bianca gli tirava sul petto.

"Sono stato da mia madre," le disse, "ma non riuscivo a dormire."

Olivia girò leggermente il collo nella sua direzione. Che cosa voleva? Con che coraggio le entrava in casa dopo quello che le aveva fatto? Il cuore ora le si era fermato.

"Tu hai insultato mio padre ed è stato ucciso."

"Non l'avevo riconosciuto."

Olivia continuava a fissarlo. Il ministro sospirò:

"Parlava da intellettuale".

"*Era* un intellettuale! Come cazzo doveva parlare?"

Gli occhi del ministro si fecero cavi.

"Doveva tacere, Olivia, e mostrare rispetto per chi è stato votato dal popolo." La vocetta acuta gli usciva gorgogliante dalla gola. "Non sono più gli intellettuali a decidere cos'è importante, non hanno più potere, sono diventati irrilevanti. Quindi, devono abbassare le arie. Altrimenti la gente si incazza."

Le parole le arrivarono in faccia come sputi. Provò a ribellarsi.

"C'è chi va ad ascoltarli."

"Chiunque ha un pubblico, ormai. Ma vanno a vedere le star, l'ostensione[41] del santo. Se volessero davvero imparare se ne starebbero a casa a leggere i libri."

---

[41] Il termine "ostensione", in ambito religioso, è molto utilizzato. "Esposizione" è più generico, ma meno preciso. (In ogni caso, la domanda è: si può correggere il ministro?) *Frun*

Olivia gli osservava le labbra. Era impossibile che fosse diventato così. Che cosa gli era successo?

"Una volta ti piacevano i libri. Eri tu che sapevi a memoria *Harry Potter*, non io."

Il ministro aspirò dalle narici. Olivia dalle narici buttò fuori l'aria.

"Sei diventato Voldemort."

Il ministro chiuse gli occhi: "È quello che mi chiedono i miei elettori, Olivia".

"E tu li accontenti."

"Il popolo non si deve elevare al livello delle élite, sono le élite che devono abbassarsi al livello del popolo."

Olivia non rispose.

"Il popolo muore dalla voglia di parlare. Non ne può più di ascoltare."

"E per far parlare gli stupidi, bisogna far tacere gli intelligenti."

"No, bisogna che gli intelligenti imparino a dire le cose in modo che gli stupidi credano di averle pensate da soli."

"Sempre cose schifose, naturalmente."

"Lo schifo è quello che le persone hanno dentro, Olivia. E io sono il ministro dell'Interno perché sto dentro ognuno di voi."

"Ora esci di qui."

Le parole le vennero fuori strozzate.

Quello fece leva con le mani sulle cosce e si alzò. Olivia sentì scricchiolare le giunture delle sue ginocchia, poi lo osservò mentre usciva dalla stanza. Era così sudato che la camicia gli si era appicccicata alla schiena. Passò a fatica attraverso la porta oltre la quale c'era il buio. Olivia ascoltò i suoi passi in corridoio e, dopo pochi secondi, sentì richiudersi la porta di casa.

18.

E così in quattro e quattr'otto, ispezione dopo ispezione, la lista degli intellettuali e dei radical chic fu compilata. Formalmente si presentava come un albo nazionale simile a quello dei giornalisti, dei farmacisti o di altre corporazioni. Prevedeva il pagamento di una quota annuale piuttosto alta che serviva a finanziare la protezione degli stessi iscritti. L'appartenenza al Registro comportava anche una serie di doveri, come il divieto di prendere parte a qualsivoglia dibattito, anche sui social, ma in compenso dava diritto ad alcuni sconti in locali selezionati tra cui librerie, erboristerie, cinema e supermercati biologici. Furono rarissimi – qualche dispersa decina di persone invisibili[42] – quelli che interpretarono la strage di Spoleto come un atto di guerra ordinato da un mandante a cui occorreva rispondere organizzandosi militarmente. Erano cani sciolti, scollegati tra loro, che per lo più si nascosero nelle case di campagna, portando con sé i vocabolari di greco e latino su cui avevano (o non avevano) studiato al liceo, i libri dell'università, i jeans consumati, i maglioni slabbrati e le kefiah palestinesi. Volevano liberarsi di ogni segno esteriore della classe sociale a cui apparteneva-

[42] Che è? Via! Sciò! *Frun*

no per mischiarsi alla folla e passare all'azione. Finalmente, dopo decenni di noia, sentivano che la rivoluzione li stava chiamando.

Per la maggioranza dei censiti l'impatto fu meno violento di quanto ~~paventato~~[43]; per molti, anzi, l'inclusione ufficiale in una categoria peraltro non priva di una certa antica ~~allu-re~~[44], rappresentò l'implicito riconoscimento pubblico degli sforzi compiuti per essere all'altezza del mandato. Ogni mattina ci si telefonava tra amici per informarsi a vicenda sui conoscenti ispezionati e commentare insieme la loro inclusione o esclusione.

"Clelia?"

"Anna?"

"Hai sentito di Olivia?"

"Di chi?"

"Ma come di chi? È la figlia di Prospero!"

"Prospero chi?"

"Giovanni! Quello che hanno ammazzato."

"Ah! La pasticcera. Sì! Be'?"

"Le hanno fatto l'ispezione."

"Anche a lei? Figurati."

"È stata classificata 'radical chic'."

"Ma dài, fanno entrare proprio tutti. Una pasticcera radical chic non si è mai vista."

"Dev'essere stato per via dei libri di Giovanni."

"Certo, mica per la torta ~~sefardita~~."

Anna non riuscì a trattenere una delle sue risatine. Clelia si compiacque: fare ridere sua cugina la rendeva orgogliosa da sempre.

"Ieri sera ha telefonato a Cesare," riprese Anna. "Lei ci

[43] "Temuto." *Frun*

[44] Francesismo poco usato. Sostituire con "fascino". *Frun*

ha raccontato che gli ispettori sono stati gentili, ma che non lo sa più se se la sente di restare, forse se ne torna a Londra."

"Chiedile almeno di darti la ricetta della torta!"

Gli sgabelli imbottiti scricchiolarono sotto il peso della loro risata. Il grafico delle telefonate si ripeteva identico ogni mattina: raggiunto l'acme del divertimento, il loro tono di voce cambiava, si faceva più grave, e a quel punto si potevano affrontare gli argomenti angoscianti.

"E Cosma?" domandò Anna sottovoce.

"Non so, Anna. Mi ha accompagnata a fare la spesa."

"Ma dài!"

"Forse questo censimento lo ha reso più adulto. Mi ha detto che va a stare un po' nella villa sul lago."

"Ma è chiusa da secoli!"

"Lo so, Anna, gliel'ho detto anche io, sarà piena di muffa, ma è stato irremovibile. Vuole partire oggi, dice che ha bisogno di restare da solo... Come se non fosse solo abbastanza."

19

Olivia atterrò a Heathrow un sabato di fine giugno. Nell'istante in cui entrò in aeroporto, riconobbe l'odore dolce di polvere e cera dell'Inghilterra. Fuori l'aria era fresca. Aveva appena smesso di piovere. Maguro non c'era. Olivia gli aveva mandato un sms prima del decollo da Linate, ma lui non aveva risposto. Nelle due settimane in cui Olivia era stata via, le aveva scritto spesso, era riuscito a essere affettuoso e spiritoso, ma quando poi si erano sentiti al telefono, lei non aveva saputo che dirgli, di che cosa parlare. Olivia osservava il paesaggio dai finestrini del pullman che la stava riportando a casa. Le gocce di pioggia si allungavano sui vetri come spermatozoi spostati dalla velocità e dal vento. A Milano aveva lasciato l'appartamento di suo padre e i suoi ottomilaseicentosessantatre libri. Prima o poi avrebbe dovuto decidere che cosa farne. Nell'attesa aveva affidato un mazzo di chiavi al notaio, un altro al portiere e il terzo ad Anna, la moglie di Cesare.

La mattina dopo la visita del ministro, le erano piombati in casa quattro ispettori del ministero, tre maschi profumati di dopobarba e una donna con i capelli raccolti a coda di cavallo. Lei gli aveva offerto il caffè e loro avevano controllato la libreria e gli armadi prendendo appunti, alla fine si erano congedati annunciandole che nel giro di un mese le sarebbe arrivata per posta la tessera di iscrizione al Registro, che le avrebbe dato diritto a una serie di sconti. Olivia aveva sorriso e stretto la mano alla donna. Ma appena se ne furono andati, aveva telefonato a Cesare per annunciargli che sarebbe partita il giorno stesso. Lui aveva protestato e lei gli aveva promesso che si sarebbero rivisti presto, ma non sapeva quando.

Aveva lasciato l'urna in un borsone da palestra ficcato in fondo all'armadio. Nonostante quello che aveva scritto suo padre sul tovagliolo, non esistono animali che mangiano la cenere. Nel dépliant dell'agenzia di pompe funebri c'era questa frase: "La cremazione di un adulto determina ceneri per circa il 3,5 per cento del suo peso corporeo, 2,5 per cento se bimbo, 1 per cento se si tratta di feto. In genere le ceneri dell'uomo sono superiori a quelle della donna; in media un cadavere produce 2,4 kg di ceneri".

Olivia immaginò un portacenere grandissimo, capace di contenere cinque pacchi di pasta. Poi guardò fuori di nuovo. Il pullman era entrato a Reading e tra poco sarebbe arrivata.

Quando aprì la porta, Maguro se lo trovò lì visibilmente emozionato e vestito elegante. Le sorrise:

"驚き"45!

Olivia vide un estraneo. Sapeva benissimo che era simpatico e buono, e le piaceva il modo in cui faceva l'amore. Non era mai aggressivo. Però lo guardava e non era nessuno. Non era andato a prenderla, ma si era impegnato ad accoglierla: sul tavolo della cucina aveva allestito un elegantissimo ikebana di sabbia, rami di nocciuolo e foglie di acero incoronate da un maggiociondolo, o *laburnum*, il fiore giallo del benvenuto.

---

45 "*Odoroki*" (驚き) significa "sorpresa". Decidere se adottare la traslitterazione o la traduzione. Personalmente eviterei i caratteri originali. *Frun*

"Ti piace l'ikebana? L'ho fatto per te."

Olivia posò a terra la valigia e lo baciò. Magoo si abbassò a raccogliere la borsa e la trasportò in camera. Non era mica brutto, anche se un po' sembrava una mosca. Magoo, non l'ikebana. Per riavvicinarsi alla cultura di suo padre che in Giappone era stato un importante letterato – forse era quello che avevano in comune – Magoo si iscriveva a un sacco di corsi. L'ikebana era l'ultimo, prima c'era stato il ping-pong, e prima ancora il sumo, i manga erotici e Roland Barthes. Osservandolo mentre depositava la sua valigia ai piedi del letto dove da dieci anni si incontravano, Olivia ripensò ai versi di un poeta inglese che, chissà perché, le erano rimasti stampati nella memoria: "They fuck you up, your mum and dad. They may not mean to, but they do".[46]

Passarono le ore, i giorni, le settimane. Il lavoro al Dolcecasa ricominciò con i ritmi di sempre e gli esseri umani per Olivia tornarono a essere le piccole teste in penombra che intravedeva nell'attimo in cui i camerieri aprivano la porta della cucina per venire a prendere i piatti. Aveva inserito in menu la torta ~~sefardita~~ alle arance e mandorle, come "piatto tipico del ghetto di Roma", e ogni tanto le capitava di ripensare a Milano, anche se il più delle volte le sembrava di non esserci mai stata e che niente fosse accaduto. Suo padre era ancora là, da qualche parte, altrove, solo che non telefonava più, magari aveva perso il telefono. La morte di chi abita lontano è diversa da quella di chi ti sta in casa. È un'altra gradazione dell'assenza. Agli assassini non pensava mai. Suo padre era morto per avere incrociato il flusso degli eventi, come

---

[46] La citazione è in inglese, quindi andrebbe tolta o tradotta: "Ti fottono, la tua mamma e il tuo papà. Non è che lo vogliono, ma lo fanno". La poesia è *This Be The Verse* di Philip Larkin (1922-1985). *Frun*

93

uno che si trovi a passare per caso sotto un cornicione nell'attimo esatto in cui dal tetto si stacca una tegola che se ne stava lì buona da centinaia di anni. Ovunque l'onda dell'ignoranza avanzava, anche in Inghilterra: *"illiterate"*, "analfabeta", era diventato un complimento, ma l'aggressività verso gli intellettuali rimaneva più indistinta e ~~amorfa~~[47] perché nessun partito si preoccupava di organizzarla e indirizzarla a proprio vantaggio.

Con Maguro non si vedevano quasi più, era come se avessero capito di avere consumato i gesti e le parole che avevano a disposizione, e che ogni amore può contare su una quantità data di momenti, terminata la quale non rimane più nulla. La distanza era stato il loro territorio per anni, l'avevano abitata e avevano imparato a esserne rassicurati, ma adesso non sapevano più come gestirla. Olivia era entrata in letargo. Aspettava che accadesse qualcosa, ma si svegliava di pomeriggio inoltrato, non sceglieva i vestiti e guardava troppa televisione. Vagava per casa, toccando svogliata le cose. Si annoiava talmente che una mattina le capitò perfino di riprendere in mano il suo vecchio manuale di epigrafia bizantina.

---

[47] "Amorfa" vuol dire "senza forma". Mi sembra più chiaro ed efficace "non prendeva forma". *Frun*

20.

Gli[48] pneumatici del furgone Fiat 238 grigio topo sfrigo-
larono sull'asfalto bollente. Erano le due di un torrido pomeriggio d'agosto e Milano era vuota. Cosma Antonini, che
non aveva ancora acquisito la sensibilità necessaria a frenare
con dolcezza, smontò con cautela in cortile guardandosi at-
torno per assicurarsi che nei paraggi non ci fossero il portinaio o i vicini. Trasportava un'enorme sacca di tela da cui
spuntavano scatoloni di cartone ancora piegati. Chiamò l'a-
scensore, frugandosi nella tasca destra per cercare le chiavi
trafugate ai suoi zii. Indossava una tuta blu da lavoro e si era
rasato barba e capelli. Non sembrava più lui.

La prima cosa che notò uscendo sul pianerottolo furono
le macchie di sangue secco sul muro. Giovanni cercava sempre di parlargli di libri e Cosma si scansava, ma una sera ave-

---

[48] "Gli" pneumatici è la forma corretta, ma l'utilizzo di "I" (e di "Un" al sin-
golare) è diventato prevalente tanto che – riferisce Treccani – già nel 1995 il "Cor-
riere della Sera" lo scelse per ben 36 volte contro 5. A mio gusto lascerei "Gli".
Frun

Funzionario: "In caso di contrasto tra utilizzo corretto e uso popolare privile-
giare l'uso comune". Sostituire con "I". Grazie. *Funzionario Redattore Capo Salvo
Pelucco, Autorità Garante per la Semplificazione della Lingua Italiana (II sez.)*

vano giocato a Backgammon e Cosma si era sentito importante. Le chiavi girarono nella serratura. Non c'era l'allarme. Le strisce di luce d'agosto filtravano attraverso le persiane nel salotto all'ingresso. Cosma depositò la borsa e contemplò la libreria che occupava l'intera parete.

Il furgone era appartenuto a suo nonno, ma funzionava ancora benissimo. Lo aveva preso nella villa di famiglia sul lago. Aveva cercato su Internet: il volume di carico del bagagliaio di un Fiat 238 è di 6,5 metri cubi e un libro di media grandezza – per esempio un Einaudi classico – occupa 708 centimetri cubi. Significava che per riempirlo avrebbe avuto bisogno di 9.180 libri. Tantissimi. Non era sicuro dei calcoli. Le equivalenze lo avevano sempre confuso. I libri non lo facevano sentire più sicuro, infatti non ne aveva mai letti. Ma l'importante, adesso, era agire e non scoraggiarsi di fronte alle difficoltà. Passò in rassegna la libreria come un generale le truppe: erano otto scaffali che correvano lungo l'intero corridoio e ognuno conteneva almeno seicento libri quasi sempre disposti su due file. In conclusione dovevano essere più di ottomila. Abbastanza da riempire il furgone. Cosma si inginocchiò e costruì con le mani il primo scatolone. Nell'aria sentiva ancora l'odore di Olivia.

21.

Dopo mesi di frenetica attività, la Commissione ministeriale per la Semplificazione Popolare della Lingua Italiana e la Sottocommissione per la Semplificazione popolare della Sintassi della Lingua Italiana annunciarono che la prima fase del loro lavoro poteva dirsi conclusa. La *Nuova Grammatica della Lingua Italiana*, uno snello manuale di appena 57 pagine, naturalmente disponibile anche online, stava per essere mandato in stampa ed essere distribuito gratuitamente ai cittadini. Conteneva misure assai popolari, come l'abolizione per decreto del congiuntivo in ogni sua forma e accezione, dei trapassati prossimi e remoti, della distinzione tra predicato nominale, attributo e apposizione (che nessuno in Italia aveva mai davvero capito) e dei segni d'interpunzione tutti "d'ora innanzi sostituiti dai tanto più espressivi e pratici emoticons ☺". Fu altresì intrapresa un'energica azione di facilitazione sintattica per scoraggiare l'ipotassi, cioè la strutturazione del discorso in periodi subordinati disposti su livelli multipli, a beneficio della paratassi, che consiste nell'attitudine a scrivere, parlare e pensare solo per frasi principali (ma spiegare la misura agli italiani si dimostrò talmente difficile che, dopo un paio di frustranti tentativi, ci si risolse a lasciare fare confidando nel fatto che la semplificazione sarebbe sopravvenuta spontaneamente).

La sottocommissione preposta approvò un'apposita tabella con le pene per i trasgressori, cioè per chi si fosse ostinato a parlare difficile: chi, per esempio, avesse citato in francese il filosofo Louis Althusser sarebbe andato incontro a una punizione molto più severa del povero cristo sorpreso a cantare per strada "Trottolino amoroso du du da da da" oppure "gesuiti euclidei vestiti come dei bonzi per entrare a corte degli imperatori della dinastia dei Ming".

Nonostante l'ingaggio di altri cinquecento scrivani selezionati tra i laureati delle classi più umili, però, la riforma più importante, quella del lessico, che avrebbe davvero riavvicinato il popolo all'élite, si rivelò più complicata del previsto. Per dare nuovo impulso, il Primo ministro dell'Interno decise, dunque, una visita ufficiale al ministero dell'Ignoranza. Quando il giorno arrivò, sorrise, dichiarò, strinse mani, scattò selfie circondato da una folla di commissari e dirigenti plaudenti, poi a fine mattinata, dopo un giro trionfale, il presidente della Commissione gli domandò istruzioni precise in favore di telecamere, e il ministro sbottò con l'abituale schietta allegria:

"Ma fate un po' quel cazzo che vi pare! Vi pago!".

Sottocommissari, funzionari e giornalisti lo guardarono spersi, e il ministro spiegò:

"Ma sì, prendete quel dizionario, come si chiama, dei sinonimi e dei contrari, e per ogni significato scegliete un solo termine, il più facile; dopodiché aprite un dizionario normale e cancellate ogni parola anche vagamente difficile, senza pietà, non voglio più vocaboli tecnici astratti!"

"Ma 'astratto' è un vocabolo astratto!" fece notare furbetto un giornalista.

"'Licenziamento', invece, è concreto," replicò il ministro, facendosi serio. "Basta con la robaccia buonista come 'sfruttamento', 'alienazione', 'plusvalore', 'schiavitù'..."

"E con i termini collettivi come ci comportiamo?" chiese un sottocommissario.

"Tipo?" chiese il ministro.

"Tipo 'gente', 'folla', 'esercito', 'popolo'..."

"Quelli teniamoli," decise il Primo ministro.

"Giusto per avere un'idea," chiese un altro sottocommissario. "Un buon dizionario contiene circa 145 mila parole. Lei quante ne vorrebbe?"

Il ministro dell'Interno fece una smorfia per far capire che stava pensando, poi si grattò sotto l'ascella e decretò:

"Direi che un terzo basta e avanza. Semplifichiamo! Sfrondiamo! Sfoltiamo! Con meno di 50mila parole si può dire qualsiasi cosa!".

I funzionari applaudirono felici. Un tale potere di scelta, di vita e di morte su ogni parola, andava al di là dei loro più ~~megalomaniaci~~[49] sogni di gloria. Ma disboscare 100 mila parole si rivelò un'impresa, nonostante il bonus stanziato ai neoassunti ogni dieci parole abolite. Si sperava che la misura avrebbe consentito di superare abbondantemente[50] la quota indicata, invece la cernita proseguì a rilento, dato il gran numero di termini di cui nessuno conosceva il significato. Contrariamente agli annunci roboanti, quindi, il *Nuovo dizionario delle parole abolite* tardava a essere dato alle stampe.

Malgrado questo, l'accoglienza della *Nuova Grammatica* fu in genere ottima. Il fascino della trasgressione fu avvertito soltanto da un'infima minoranza di piantagrane per i quali i

---

[49] "Megalomaniaci" sarebbe una parola vietata. Però è efficace. *Frun*

Sostituire con "rosei". *Funzionario Redattore Capo Salvo Pelucco, Autorità Garante per la Semplificazione della Lingua Italiana (II sez.)*

[50] ~~Non resisto. Lo sapete qual è il contrario di "Abbondantemente"? Facile!~~ ~~"A Berlino Petrarca dice la verità"!~~ Va bene, d'accordo, ho capito: mi cancello da solo. Ciao! ;) *Frun*

libri – benché soltanto scoraggiati e non espressamente vietati – tornarono ad apparire come oggetti erotici. Per qualcuno possederli diventò una sfida, quasi una moda. Una ragazza fu sorpresa dai controllori in metropolitana con *La vita agra* di Bianciardi nascosta nei leggings; un altro fu scoperto mentre nascondeva una copia dei *Parerga e paralipomena* di Arthur Schopenhauer dentro la "Gazzetta dello Sport". Insomma: bambinate, fatti isolati. Si moltiplicarono le segnalazioni da parte dei servizi segreti, ma ogni volta si rivelarono infondate. Incurante degli allarmi, il Governo tirò dritto per la sua strada. I cani sciolti, invece, si stavano muovendo. Progettavano azioni grandiose o gesti simbolici, ma rimanevano invisibili anche a se stessi non sapendo niente l'uno dell'altro. La guerra esercitava il suo richiamo su colti e ignoranti, ricchi e plebei, perché era l'unica esperienza che, in decenni di pace e abbondanza, era stata ritirata dal mercato; l'unica merce che nessuno aveva potuto comprare.

22.

Una sera sì e una no Maguro le mandava un sms in giapponese.

"こんにちは、元気?"

All'inizio era stato un gioco. Adesso capitava perché si dimenticava di disattivare la tastiera. In quei casi Olivia si sentiva autorizzata a non rispondere. Non stava male, ma non si era ancora svegliata. La sua vita sarebbe proseguita imperterrita – le notti di lavoro in cucina, i giorni solitari e il ricordo di Milano sullo sfondo, la casa vuota e buia, le persiane abbassate, i libri chiusi – finché, in una mattina di fine ottobre, Maguro si ricordò di reimpostare la tastiera sull'alfabeto occidentale:

"Domani vado a correre e ho voglia di vederti. Vieni? Dopo andiamo a mangiare i pancakes".

Olivia gli rispose *Vediamo, Let's see*, ma la mattina dopo si svegliò alle 7, uscì alle 9 e si rese subito conto di essersi dimenticata di Halloween. Le strade erano già addobbate di zucche e lucine e, all'ingresso del college, un ragazzo trasportava un borsone da cui spuntavano le grandi orecchie di un costume da coniglio. Olivia attraversò il fiume. Dietro le nuvole, il cielo era di nuovo azzurro. Passeggiare senza avere nulla da fare mentre il mondo si affanna era una delle ragioni per cui aveva scelto un lavoro sfasato. Nei giardini dove sorgevano le rovine della vecchia abbazia normanna della città le mamme spingevano il passeggino digitando sul telefono, ragazzi e ragazze si baciavano e i bambini giocavano. I single facevano jogging.

C'era vento e Olivia indossava un giaccone. Si fermò su una panchina di legno, disposta, per la prima volta dopo mesi, a vedere quello che il mondo aveva da offrirle. La piccola lastra rettangolare di metallo inchiodata sulla doga a metà della spalliera diceva: *"In memory of Dr. A. Razak the best husband, friend and dad in the universe we will always love you, million, billion, eternity"*. Olivia pensò che non aveva mai provato un amore così privo di dubbi. Davanti ai suoi occhi l'umanità passava di corsa indossando felpe giallo fluo, giacche a vento rosa fiamma, pants neri e shorts grigi. Olivia li osservava transitare come bagagli sui tapis roulant degli aeroporti: c'erano molti anziani, signore sovrappeso o trentenni con i glutei d'acciaio che divoravano miglia con il sangue agli occhi. Lei aspettava Magoo.

Dopo mezz'ora si alzò. Il vento muoveva le nuvole e cominciava a fare freddo. Si incamminò lungo i viali, progettando di tornare a casa, ma sperando ancora di incontrarlo. Lo vide apparire da dietro un cespuglio peloso. Ansimava correndo, ma ai suoi fianchi trotterellavano i suoi due bambini, un maschio e una femmina, Akira e Akuro, li aveva chiamati proprio così, di 7 e 8 anni, tutti e tre agghindati da runner nelle stesse orripilanti tutine di Goretex. Olivia arretrò per non farsi vedere. Stava tremando. Li osservò allontanarsi, finché diventarono piccoli. Sembravano tre fratelli. Dopo qualche passo la bambina si voltò, senza lasciare la mano di suo padre, e anche Olivia si vide piccola, attraverso gli occhi di lei. Camminò fino ai ruderi dove un paio di anni prima un cane scavando aveva riportato alla luce i resti di una tomba medievale, forse appartenuta a Ioannis Servopoulos, un erudito bizantino stabilitosi a Reading poco prima della caduta di Costantinopoli e passato alla storia per avere introdotto in Gran Bretagna la lingua greca e il caffè.

Una spessa lastra di vetro infrangibile ricopriva la tomba, visibile a pochi metri sotto il livello del suolo. Il vento soffiava sempre più forte. Olivia si strinse nelle spalle. Aveva risposto all'invito di Maguro perché qualcosa in lei desiderava svegliarsi e uscire dal guscio, come una lumaca che mette fuori i cornini, e invece lui si era presentato con i suoi figli. Era di sicuro successo qualcosa in famiglia, ma Olivia non lo avrebbe mai saputo. Soltanto la solitudine garantiva un po' di verità. Lesse la targa che ricostruiva le circostanze del ritrovamento e le ragioni per cui era importante. L'identificazione di Servopoulos collimava con le fonti storiche e si basava su un frammento di testo ancora leggibile:

... POULOS ATHENIENSI – IN STUDIIS LITERARUME GRÆCARUM – EMINENTISSIMO – QUI VIXIT ANN...

Olivia tradusse mentalmente affidandosi al poco latino che le era rimasto impigliato nella memoria, quando vide una goccia d'acqua cadere sul vetro sporco e mischiarsi alla polvere. Da dove veniva? Alzò gli occhi per controllare il cielo, ma le nuvole erano lontane. Era lei ad avere le guance bagnate. Stava piangendo, e non se ne era accorta.

L'iscrizione parlava di un ateniese, "eminentissimo nella lingua greca". Era la lapide di un maestro fatta incidere da un allievo perché qualcosa della sua sapienza non andasse perduto. Invece non restava più niente. Come era accaduto a suo padre, e all'amore tra lei e Maguro. Le persone nascevano, amavano, morivano, si travestivano per Halloween, prendevano treni, costruivano cucine, lavoravano alle poste, aggiustavano scaldabagni, mangiavano nei ristoranti, si svegliavano, si addormentavano, si lasciavano, facevano figli, leccavano gelati, imparavano a nuotare o a sciare, suonavano la chitarra, progettavano viaggi e facevano soldi, andavano o non andavano a fare jogging, trovavano un'amante e la perdevano, ma tutto evaporava. Olivia asciugò con il polpastrello le ultime lacrime sui bordi degli occhi e si mise in cammino. Sulla via di casa, osservò le nuvole aprirsi per lasciare campo all'azzurro.

La fama di Servopoulos era rimasta legata al caffè, nonostante i testi che aveva trascritto e tradotto. I tabloid lo chiamavano "Mr. Coffee". Ma dove erano finiti i suoi pensieri? E che cosa sarebbe rimasto di suo padre? Solo gli schizzi di sangue nelle fughe del pianerottolo di casa? Dov'era ora la conoscenza dei sapienti che avevano vissuto nel corso dei secoli? Si era dispersa come cenere in una spiaggia. La cultura esisteva davvero o era soltanto il nome che si dava al momentaneo, casuale aggregarsi di parole e pensieri? Oppure, come diceva il ministro, era un trucco che serviva per far credere a una versione del mondo? L'intelligenza degli esseri umani le apparve come un insensato agitarsi di neuroni, una specie di ginnastica cerebrale senz'altra finalità che il muoversi in sé, un banco di acciughe in un mare infinito, un flusso di scariche elettriche che si polverizzavano nell'istante stesso in cui avevano luogo, rimbalzando in altri cervelli, diventando altre scariche, altri veloci bagliori.

Olivia era di nuovo davanti al college. Il ragazzo con il costume da coniglio nella borsa non si era mosso dall'ingresso. Aspettava qualcuno che non era arrivato. Superandolo, Olivia si chiese se i propri pensieri sarebbero stati diversi quando avesse indossato il costume da coniglio. Lei si era sempre rifiutata di mangiare le cervella fritte per non cibarsi dei pensieri, delle emozioni e dei ricordi della mucca a cui quel cervello era appartenuto. Quello che impari si sfarina, non si accumula, il cervello è un sacco con il fondo bucato. Che cosa rimaneva dei libri studiati da suo padre? Tutto quello che aveva imparato si era sgretolato, come avviene al corpo quando si muore. Una piccola folla di donne arabe con il velo occupava il marciapiede. Aspettavano l'autobus sedute sul muretto della chiesa davanti alla fermata. Olivia rallentò e lesse sulla facciata:

"*Every cemetery is a junction. It is one way or the other*", e pensò che magari valeva anche per i libri, che come le lapidi erano punti di congiunzione tra i vivi e i morti.

Affrettò il passo.

Era tempo di fare ritorno.

23.

E poi finalmente, l'11 novembre, la Commissione ministeriale per la semplificazione popolare della Lingua italiana partorì il primo *Elenco provvisorio popolare delle parole vietate, sconsigliate o abolite della Lingua italiana semplificata*. All'evento fu dato grande risalto mediatico grazie a una campagna stampa congiunta che per giorni occupò a tappeto social, siti web, giornali, radio e tv. Purtroppo, nonostante gli sforzi degli scrivani del ministero dell'Ignoranza, i vocaboli di cui si riuscì a decidere la soppressione si rivelarono una miseria rispetto alle ambizioni iniziali. Per una ragione o per l'altra le parole riuscivano quasi sempre a salvarsi: qualcuna non aveva sinonimi, qualcun'altra era di uso comune, molte scatenavano ricordi nel funzionario-cancellatore, altre ancora erano troppo belle, strane, sconosciute per farne a meno per sempre. L'elenco finale comprese un migliaio di termini in gran parte già estinti o caduti in disuso, ma il tempo stringeva e la politica necessitava di risultati. In un afflato di entusiasmo accresciuto dalla stanchezza e favorito dal bisogno dei sottocommissari di essere riconfermati all'incarico, la Commissione decise di pubblicare la prima *tranche* di parole abolite, concedendo però ai cittadini la possibilità di segnalare via mail o sms altri vocaboli ostici o incomprensibili. E così, quell'11 novembre, giorno dell'"estate di San Martino", ma sotto una pioggia scrosciante, agli italiani fu comunicato l'elenco delle parole che da quel momento in poi nessuno avrebbe mai più pronunciato e che sarebbero state sostituite anche nei testi antichi in modo da renderli comprensibili a tutti. Come *L'infinito* di Leopardi, per dire. La nuova versione cominciava così: "Sono sempre stato affezionato a questa collina deserta / e a questa siepe, che mi impedisce di vedere / completamente l'orizzonte lontano..." La riscrittura del V Canto dell'Inferno di Dante fu affidata a un famoso paroliere che, dopo molti sforzi, partorì queste terzine: "L'amore, che si attacca in fretta al cuore gentile, / mandò fuori questo tipo per il mio bel corpo / che mi fu strappato in un modo che giudico ancora offensivo. / L'amore, che non perdona a nessuno che è amato la colpa di amare, / mi mandò fuori per la bellezza del tipo con così tanta forza, / che, come vedi, sono ancora cotta".

Per dare risalto all'evento si decise che la notizia, oltre che sui canali tradizionali, sarebbe stata comunicata anche mandando sms ed email personalizzate a ogni cittadino, firmate dal Garante in persona.

"Car* *****, è con molto orgoglio che rendiamo pubblico il primo *Elenco provvisorio popolare delle parole vietate, sconsigliate o abolite della Lingua italiana semplificata*. È stato approntato dalla Commissione ministeriale per la semplificazione popolare della Lingua italiana che ho l'onore di dirigere su nomina diretta del ministero dell'Interno e del popolo. Confido che renderà più semplice la nostra vita e più piacevoli le nostre conversazioni.

Con stima e amicizia,
il Garante per la Semplificazione della Lingua Italiana in persona".

E l'elenco seguiva:

Abacà, Abalietà, Abarico, Abasia, Abbacchiare, Abban-
donico, Abbondanziere, Abduzione, Abigeo, Ablaqueazione,
Abominio, Aborrire, Abulia, Acagiù, Acalasia, Accaffare, Ac-
ceggia, Accidia, Acclive, Acerrimo, Adire, Afachia, Afèresi, Al-
bagia, Alienazione, Allitterazione, Amistanza, Ancestrale, An-
tidoto, Antonomasia, Antropomorfismo, Apòcope, Apòcrifo,
Apollineo, Apposizione, Assioma, Archetipo, Atomismo, At-
tributo, Azzimato, Bailamme, Beghina, Biscanto, Bituminoso,
Biunivoci, Blasfemia, Blasone, Bocciardare, Boffice, Boicot-
tare, Boldone, Bollandista, Bovindo, Buprestidi, Bure, Burga,
Bustrofedico, Byroniano, Caduco, Cacadubbi, Calambucco,
Calcafogli, Càrbaso, Cacofonìa, Capare, Categoria dello spiri-
to, Casualità, Causalità, Celere, Contraddittorio, Cosmogonìa,
Cosmologia, Cremisi, Cretonne, Deduzione, Demòtico, Deon-
tologia, Determinismo, Deuterostomi, Dialettica, Dionisia-
co, Displuvio, Disumanità, Dogmatico, Domotica, Edonismo,
Empatia, Endiadi, Entelecheia, Entità, Epanalessi, Epicureo,
Epistemico, Epoché, Ermetismo, Ermo, Esacerbato, Esaugura-
zione, Esistenzialismo, Espiazione, Essenza, Esulcerato, Ethos,
Etologia, Esecrabile, Eterodosso, Eteronomo, Eudiometria,
Eufemismo, Eufonìa, Euforia, Euristico, Evolutivo, Falpalà,
Falsificazione, Fatidico, Fattoriale, Fautore, Fenomenico, Fi-
lologia, Finalismo, Fonema, Forbito, Frale, Geodesia, Gnosi,
Gnoseologico, Iato, Illuminismo, Imperciocché, Imperscruta-
bile, Imperterrito, Induzione, Innatismo, Incontrovertibile,
Intenzionalità, Interiezione, Intuizionismo, Ipòstasi, Ipotesi,
Macadam, Maccaluba, Macia, Magniloquenza, Meccanicismo,
Mentore, Metafisica, Metafraste, Metempsicosi, Misirizzi, Mo-
riccia, Mitema, Nadirale, Napello, Nemesi, Nistalo, Nitticora,
Nocumento, Nomoteta, Nompariglia, Normativo, Noumeno,
Nuncupazione, Nundine, Offendicula, Oggettivo, Ontologico,
Ontico, Orcelleria, Ortodosso, Ossitona, Ottativo, Ovviare,
Pallore, Parafisi, Paralogismo, Paralurge, Paratattico, Parazo-
nio, Parossitona, Patogeno, Pechblenda, Pecilogonia, Perifrasti-

co, Perispomeno, Pirobazia, Pitagorico, Pivotante, Plusvalore, Pluvico, Positivista, Pragmatismo, Precipitevolissimevolmente, Prolegomeno, Proparossitona, Properispomeno, Puerile, Purchessia, Qat, Quaestio, Qualora, Quandunque, Quantico, Querulo, Quetista, Quintiglio, Quorum, Rabbonire, Racemoso, Radicale, Redarguizione, Relinga, Resilienza, Retroattivo, Retrospettiva, Ridondanza, Ripartizione, Roncione, Rotocalco, Ruere, Rugghio, Sabadiglia, Sanzonatorio, Scetticismo, Schiavismo, Semantico, Sfintere, Sfruttamento, Sillogismo, Sincope, Sintattico, Sintetico (non il tessuto, naturalmente, ma il giudizio a priori kantiano), *Situazionista, Sofista, Soggettivo, Solecismo, Solipsismo, Sorbico, Sostanziale, Soterico, Staffile, Stocastico, Stoicismo, Storicismo, Stapula, Stentoreo, Surrealista, Tabagismo, Taffio, Tarpare, Tautologia, Teismo, Teleologia, Temulento, Testimoniale, Titubante, Tintinnabolo, Tmesi, Tomatillo, Transnazionale, Trasognato, Trascendentale, Trassato, Trasversale, Tropismo, Truismo, Turaglio, Turcico, Uggire, Ugrofinnico, Ulotrico, Uosa, Urfido, Utopia, Vafro, Valloso, Vasistas, Veccioso, Veemenza, Ventilabro, Verificazione, Vicendevole, Vitalismo, Vivagno, Vizzato, Vocoide, Vogavanti, Volframi, Volontaristico, Vulnerabile, Vuovolo, Zirlo, Zabattiero, Zagara, Zazzeare, Zetacismo, Zeugma, Zimarra, Zipolare, Zizzaglia, Zonula, Zunnene.*

In calce, apparivano l'indirizzo email e l'account Twitter per le segnalazioni del popolo:
paroledavietare@garantesemplificazione.info
@paroledavietare

24.

"Fermati, Alfonso, mi è venuta voglia di fare due passi."

La suola di Alfonso sfiorò il freno e la berlina, dolcemente, accostò.

"La aspetto?" chiese Alfonso ruotando il collo taurino.

"Grazie, non è necessario, ti scrivo io quando finisco," rispose il ministro smontando.

Era una pantomima già andata in scena. Il ministro fingeva di andarsene a zonzo e Alfonso fingeva di credergli. Ma appena l'auto spariva alla vista, il ministro tornava sui suoi passi, imboccava una vietta anonima e si fermava dopo una cinquantina di metri davanti alla vetrina di quello che a prima vista sembrava un piccolo bar.

Ci era capitato per caso pochi giorni dopo avere pronunciato il suo storico discorso alla Camera e da allora per lui era diventato uno sfizio. Si assicurò di non essere osservato, alzò il bavero del cappotto e spinse la porta d'ingresso.

"È già iniziato lo spettacolo?" chiese a bassa voce alla ragazza della biglietteria.

"Da dieci minuti," bofonchiò la ragazza senza alzare gli occhi dal telefonino.

Il ministro afferrò il biglietto e, a testa bassa, si diresse svelto verso la sala. Entrando a film cominciato, abbatteva i rischi di essere riconosciuto, anche se alle cinque di pomeriggio la proiezione era quasi sempre deserta. Scelse con cura la poltroncina, si tolse il cappotto e, dopo averlo accuratamente ripiegato, si accomodò, felice di godersi un film in solitudine. I cineclub non li aveva vietati, come non aveva vietato i libri, i teatri o la musica classica. Li aveva semplicemente riclassificati nella categoria dei vizi, invece che in quella delle virtù. Frequentarli era diventato disdicevole come una volta i bordelli o le sale Bingo. L'epoca in cui per conformismo milioni di ignoranti avevano dovuto fingere di apprezzare la cultura soltanto perché così prescriveva la maggioranza era finita per sempre. Nel tempo nuovo, che il ministro stava contribuendo a creare, accadeva l'esatto contrario: per conformismo la gente si fingeva più rozza di quello che era realmente.

Il ministro si stravaccò, lasciandosi cullare dalla musica dolce che invadeva il buio. Il film era *Providence* di Alain Resnais, un mattone francese senza sottotitoli e senza trama, con inquadrature di alberi e fogliame che duravano decine di minuti e scene notturne di un vecchio malato, intento a fare la pipì. Una sublime goduria in cui non accadeva mai nulla, eppure per vederlo il ministro rischiava la propria reputazione. Se qualcuno lo avesse riconosciuto, infatti, i suoi nemici lo avrebbero spinto a dimettersi. Ma trasgredire la sua stessa legge gli faceva assaporare il gusto dell'onnipotenza, ed era un piacere perverso che dal cervello gli si irradiava in ogni anfratto del corpo. Provava un bisogno fisico di intelligenza e tempo disteso. Sentiva il richiamo della lentezza.

Allungò i piedi sulla fila davanti e sospirò soddisfatto. Sullo schermo l'insonne John Gielgud immaginava storie in cui metteva in scena i suoi figli. Era tutto bellissimo, lontano anni luce dal sangue e dalla merda della politica. Stava quasi per commuoversi, quando sentì dei rumori arrivare da fuori. Si irrigidì come un animale nella boscaglia e afferrò il cappotto, pronto a scappare. Il rumore cresceva, era diventato trambusto. Il ministro scattò in piedi, qualcuno era arrivato alla porta. Lo schermo si spense e in sala si accesero le luci.

25

Il taxi era invaso da Mozart. Il concerto per pianoforte e orchestra K488 volava, il pianoforte polpastrellava domande ripetute più in grande dai fiati e dagli archi. Il tassista si voltò: "Dove andiamo?".

"In via Ozanam al 4," rispose Olivia, mentre l'auto lasciava l'aeroporto di Linate. La notte li avvolgeva e la pioggia accarezzava i finestrini. La musica intanto cambiava: gli archi si erano acquietati e dopo una pausa il pianoforte aveva ripetuto, più sottovoce, la stessa melodia. Olivia cercò nello specchietto retrovisore gli occhi dell'altro.

"È una musica bellissima."

"Lo so, la ascolto sempre dopo le notizie, mi tira su."

"Come una specie di antidoto."

Gli occhi del tassista nello specchietto si fecero seri.

"Io non ho sentito niente."

"Sentito cosa? La musica?"

"La parola che ha detto."

"Quale? Antidoto? E perché?"

"L'hanno vietata, non lo sa?"

Olivia scosse la testa. Il tassista continuò:

"Secondo la legge dovrei segnalarla alla polizia."

"E io la denuncerei perché ascolta Mozart."

Il tassista fece no e sì con la testa:

"Non è la stessa cosa. Mozart non è stato vietato, solo scoraggiato. Dire 'antidoto', mi creda, è molto più grave".

"Che cosa mi farebbero?"

"Di sicuro una multa, salata, poi forse un procedimento penale, dipende dal tabellario... Non scherzano per niente su questo genere di cose. Ha sentito cos'è successo al Primo ministro, no?"

Olivia non aveva sentito.

"Al ministro dell'Interno, dice? No, che cosa gli è successo?"

"Si è dimesso."

"E perché?"

Il tassista cercò di nuovo gli occhi di Olivia nello specchietto.

"Perché lo hanno fotografato in un cinema d'essai dove davano un film francese. Qualcuno deve avere fatto la spia."

"E allora?"

"È una cosa che non si fa."

"Non è mica vietato."

"No, ma il popolo detesta le cose noiose."

"Per alcuni anche la musica di Mozart è noiosa."

"Lo so," disse il tassista, tornando serio. "Ma è così bella e qualche volta vale la pena di correre il rischio."

Olivia infilò le chiavi nella serratura. Le macchie di sangue sui muri erano state lavate e il pavimento sembrava pulito. In casa si gelava perché il riscaldamento era rimasto spento dall'estate, così come il contatore della luce. Quadro elettrico e termostato si trovavano nello sgabuzzino dietro la porta. Dopo qualche tentativo, Olivia riuscì ad accenderli. Si aspettava di trovare la casa come l'aveva lasciata, immobile e buia, identica a quando la abitava suo padre, invece la sala le apparve immediatamente grandissima. I libri non c'erano più. Qualcuno era entrato e li aveva portati via tutti. Gli scaffali si susseguivano come binari, senza più nome e funzione, ma a metà della parete, sulla fila centrale, era rimasto isolato un unico oggetto: l'urna con le ceneri di suo padre.

Olivia si lasciò cadere sul divano, con ancora addosso il cappotto. Per terra notò un paio di forbici e uno scotch marrone da pacchi. Pensò al portinaio, poi a Cesare, perfino al notaio Scracco, perché erano gli unici ad avere le chiavi, ma non riusciva a spiegarsi per quale ragione non l'avessero avvisata. Guardò l'ora sul telefonino: era troppo tardi per chiamarli. Si sollevò in piedi e andò verso la libreria, fantasticando sul fatto che i libri se ne fossero andati da soli, magari in volo, come fanno i giocattoli quando non c'è nessuno in casa. Le era sempre piaciuto pensare che i libri si scambiassero parole o intere frasi in segreto, scompaginandosi gli uni negli altri, mischiandosi, pronti a rimettersi in ordine non appena l'uomo tornava. O forse esisteva un libro nascosto, dove lo scambio avveniva. Per anni quel libro era stata la testa di suo padre, che assorbiva le parole scritte da altri e le cuciva alle proprie e a quelle di estranei morti da secoli, ricavandone la certezza che altri prima di lui e altri dopo di lui avrebbero avuto gli stessi pensieri, e provato simili emozioni e paure. La libreria era il posto che suo padre aveva abitato per sentirsi meno solo.

Olivia entrò in cucina e si versò un bicchiere d'acqua. Aveva ancora il cappotto, ma la temperatura stava lentamente salendo: si scaldava l'aria, si scaldavano i muri, il caldo penetrava nelle cose e nelle ossa, e intanto la casa riacquistava il suo odore o almeno il ricordo, l'odore di un vecchio, suo padre, e quello della carta. Olivia posò il bicchiere sul tavolo e si sentì improvvisamente esausta. In corridoio la polvere disegnava sugli scaffali il profilo dei libri che non c'erano più. Cominciava già a depositarsi intorno alla base dell'urna. Olivia la sollevò, era fredda e porosa, poi entrò nella stanza, davanti al letto c'era ancora la sedia, si tolse le scarpe e senza spogliarsi si distese rannicchiata sul lato opposto del letto, allungando una mano per toccare l'urna posata sull'altro cuscino.

26.

Il Garante per la Semplificazione si alzò dalla scrivania alle 19 in punto, moderatamente felice. Suo figlio Guglielmo compiva diciott'anni, quel giorno, e a casa lo aspettava una bella festicciola in famiglia. Ma il Garante aveva anche motivi professionali per ritenersi soddisfatto. L'elenco provvisorio delle parole abolite era stato finalmente pubblicato e le prime reazioni dei social sembravano buone. Perfino la caduta del ministro dell'Interno era stata assorbita dal Popolo come un fatto normale, un ricambio necessario che forse avrebbe addirittura migliorato le cose. Il Garante per la Semplificazione attraversò l'atrio a passo spedito, salutando con cordialità l'usciere. Fuori pioveva a dirotto, così sguainò l'ombrello che sua moglie aveva insistito per fargli prendere e, impavido, si avventurò all'esterno sotto le intemperie. Attraversò a precipizio la passerella sul laghetto infestato di carpe, evitando di prestare troppa attenzione alle mostruose ombre dei pesci che si intravedevano al di sotto della superficie picchiettata di pioggia. Raggiunse il parcheggio dei dirigenti e, dopo avere gettato l'ombrello sotto il sedile posteriore, si infilò in auto e accese il motore. Qualche secondo più tardi, a una decina di metri, una seconda auto si mosse.

Alla prima rotatoria il traffico era già fermo. La pioggia rallentava l'immissione da destra e tutti suonavano il clacson, i musi delle auto premevano in avanti per uscire dall'ingorgo. Anche il Garante si attaccò al volante con tutto il suo peso, per fare più rumore possibile. La voglia di guerra cominciava ad alitare sulla faccia del mondo. Era una polvere invisibile che ognuno respirava, un bisogno orizzontale, democratico, umano, un fumo che dal popolo saliva fino alle classi più alte: le aggressioni a intellettuali e radical chic ormai erano all'ordine del giorno e non facevano più notizia. Ma più che guerra sembrava il tiro al piccione. Qualche intellettuale provava a resistere, ma ognuno agiva per sé, senza alcuna tentazione di unirsi o dotarsi di un programma comune. Il ricordo della strage di Spoleto scoraggiava l'orgoglio e comandava prudenza. La maggior parte continuò a maledire i tempi nuovi in solitudine, qualcuno si adattò di buon grado, nessuno disturbò il corso del nuovo potere. Dopo anni di inerzia, la ribellione e la resistenza erano diventati fatti privati.

Quando l'ingorgo si sciolse, le automobili si rimisero in marcia. L'auto del Garante si lasciò alle spalle lo stradone che portava all'Idroscalo e proseguì in direzione del centro. La pioggia scrosciava, ma il Garante aveva una sola preoccupazione: fermarsi a comprare le paste per la festa. Fermo a un semaforo, si mise a osservare un palazzo. Gli era sempre piaciuto guardare da fuori gli interni illuminati, che fossero di treni, automobili o abitazioni, perché da fuori le vite all'interno gli sembravano più belle, più calde, più calme. Sull'intera facciata c'era un'unica finestra accesa che, per un istante, fu attraversata da un'ombra.

Il verde scattò e il Garante sollevò il piede sinistro dalla frizione per posare il destro sull'acceleratore. Parcheggiò in doppia fila nelle vicinanze del Palazzo di Giustizia e si avviò a piedi verso la pasticceria dei nani – così la chiamava lui –, la migliore di Milano. Appena entrò i clienti fecero silenzio all'unisono. La sua faccia era nota, il Garante andava spesso in tv, e la gente aveva paura di lui. Avere potere sulle parole non gli dispiaceva affatto. Si era diplomato in ragioneria e per tutti gli anni delle superiori il fratello maggiore lo aveva sfottuto perché lui invece faceva il classico. Gli intellettuali lo avevano sempre fatto sentire inferiore. La sua carriera era stata il suo riscatto. Mentre nella pasticceria tutti lo fissavano in silenzio, il pasticciere si sporse oltre il banco per servirlo.

Il Garante scelse i pasticcini, il pasticciere li pesò, la moglie del pasticciere li impacchettò e la figlia del pasticciere disse il prezzo. Vista da dietro la vetrina dei dolci, poteva sembrare una famiglia normale, ma il Garante lo sapeva che stavano in piedi su una pedana rialzata per sembrare più alti e lui detestava gli inganni: se non avessero fatto dolci così buoni, probabilmente lo avrebbe segnalato alle autorità competenti. Nell'istante in cui uscì, le voci dei clienti si riaccesero. Per fortuna aveva smesso di piovere, ma un taxi, passandogli davanti, sollevò un getto d'acqua che quasi lo inondò. Dai finestrini di quello che seguiva usciva musica classica. Il Garante tolse le doppie frecce e rimise in moto. Se avesse controllato lo specchietto retrovisore, avrebbe visto un'altra automobile fare altrettanto.

Aprì il cancello del garage con il telecomando, lanciando uno sguardo trionfante al vassoio con i pasticcini. Fu allora che notò i fari. Un'auto lo seguiva scendendo la rampa, così vicina che sembrava volesse tamponarlo. Ne avrebbe parlato con l'amministratore. Al secondo piano sotterraneo, svoltò verso il box sperando che l'altro continuasse a scendere, invece era scomparso. Si accinse a posteggiare. Il suo era un box stretto in cui si poteva entrare solo in retromarcia, dopo molte manovre. Il Garante sbagliò la prima, raddrizzò, cominciò la seconda, controllando lo specchietto di sinistra per non strisciare la fiancata. Al terzo tentativo riuscì ad allineare l'auto: arretrò lentamente fino a entrare del tutto. Spense il

motore, si tolse la cintura e aprì la portiera facendo attenzione a non sbatterla, quando con la coda dell'occhio percepì un
movimento: l'auto che lo aveva seguito si stava fermando davanti all'ingresso del box, sbarrandogli l'uscita. Il Garante si
immobilizzò confuso, curiosamente gli ritornarono in mente i
pasticcini dimenticati sul sedile e rientrò in auto per prenderli,
ma mentre si contorceva per infilarsi nell'abitacolo, sentì che
qualcuno, da dietro, gli stringeva un braccio intorno alla gola.

27

"Questo qui faceva lo spogliarellista, Anna, ti rendi conto? È ignorante come una capra."

"Be', anche quell'altro..."

"Al confronto era Zygmunt Bauman."

"Chi è Zygmunt Bauman?"

"Non ne ho idea, ma con un nome così è di sicuro intelligente. Questo qui non sa neanche cos'è un cineclub!"

"Penserà che sia un centro massaggi cinese!"

Clelia Maffei e Anna Gandini sghignazzarono come se andassero a scuola, ondeggiando i maestosi sederi sui minimi sgabelli schierati davanti ai rispettivi telefoni fissi. Il governo, scosso dallo scandalo che aveva travolto il primo Primo ministro dell'Interno, aveva deciso di non correre rischi nominando un secondo Primo ministro dell'Interno veramente, ma veramente ignorante.

"Lo sai che si esibiva alle feste dell'8 marzo e le donne impazzivano?"

"Clelia..."

"Sì, Anna?"

"Immaginati Cesare che fa lo spogliarellista..."

A pochi chilometri di distanza, Olivia continuava a telefonare e a trovare occupato. Voleva sapere se era stato Cesare a portare via i libri, perché il portinaio e il notaio non ne sapevano niente.

"Dicono che si facesse chiamare Apollo. Il nome d'arte del suo socio, invece, era Zeus."

"Allora non è così burino. È un riferimento alla Grecia classica."

"È quello che gli ha detto anche il giornalista..."

"E lui?"

"Si è voltato per guardarsi alle spalle, credeva che si rivolgesse a qualcun altro."

"Perché?"

"Il giornalista ha insistito: 'Sì, insomma, Zeus e Apollo sono due famose divinità greche!'."

"E lui?"

"Si è stretto nelle spalle e ha detto: 'Io sapevo che erano i dobermann di *Magnum P.I.*'"

C'è un limite oltre cui le risate non possono spingersi senza provocare la morte istantanea di chi ride. E così la crisi di riso, raggiunto il suo apice, si sgonfiò all'improvviso, lasciando le cugine in balìa di un senso di vuoto. Clelia in particolare si fece di colpo malinconica:

"Ma tu ti rendi conto, Anna, che Cosma non esce più dalla sua stanza?".

Anna sospirò: "Anche Proust stava chiuso in casa...".

Succedeva sempre così: dopo un po' la conversazione scemava fino a spegnersi, le due cugine si salutavano e, in uno scricchiolio di legno (degli sgabelli) e di cartilagine (delle giunture), faticosamente riacquistavano la posizione eretta. Nell'istante esatto in cui si alzarono, il telefono squillò. Anna rispose subito, speranzosa che Clelia avesse dimenticato di dirle qualcosa. Invece era Olivia che chiedeva di Cesare che, zoppicando, arrivò all'apparecchio.

"Questi qui al governo ti fermano per un romanzo di Alberto Bevilacqua, figurati se mi metto a trafficare con i libri di tuo padre."

Era contento che Olivia fosse tornata, ma la desertificazione della biblioteca del suo amico lo intristiva moltissimo.

"Mi dispiace tanto, Olivia."

"Mi sento più leggera, invece. Quasi liberata. Sei libero a pranzo?"

Non era libero a pranzo, in compenso le diede appuntamento per l'indomani.

"Se ti va possiamo vederci alle 11.45 ai Giardini pubblici, davanti alla fontana."

Olivia accettò senza riserve e senza domandargli che cosa ci andasse a fare a mezzogiorno nella zona dei giardini dove una volta c'era lo zoo.

28.

All'alba il Garante non era ancora tornato. La sua famiglia lo aveva aspettato tutta la notte. Per le prime due ore moglie e figlio avevano pensato a un contrattempo dovuto al lavoro, ma saltare un compleanno in famiglia non era proprio da lui. Così, alle dieci di sera, era stata avvisata la polizia che aveva rinvenuto l'auto in garage, senza le paste. I poliziotti avevano ipotizzato, e insinuato, che avesse un'amante, ma la signora aveva rigettato con sdegno l'ipotesi dichiarando la propria preferenza per il rapimento. Intorno a mezzogiorno, il capo dei Servizi segreti annunciò al Paese con un tweet che il Garante per la Semplificazione della Lingua era stato rapito, poi andò a riferire al nuovo Primo ministro dell'Interno, cioè al secondo ministro dell'Interno, che nella sua rilucente bellezza si trovava sempre nelle condizioni ideali per fronteggiare la bruttezza del mondo. Per prendere una decisione, Apollo non ebbe bisogno di pensieri: l'offensiva andava fermata con una imponente manifestazione di popolo in piazzale Loreto a Milano.

Il richiamo del luogo fu irresistibile, opinionisti e *influencer* fecero a gara nel lodare l'intuito del secondo Primo ministro e il suo coraggio nello sfidare i tabù per inaugurare l'epoca nuova. Furono organizzati charter e pullman, convogli aggiuntivi della metropolitana e treni speciali provinciali, regionali, nazionali. Il popolo si sarebbe radunato all'alba, e a fine mattina avrebbe ammirato di persona la straordinaria bellezza del leader.

L'eco dell'evento raggiunse anche Cosma Antonini che da settimane aspettava l'occasione per passare alla storia.

Frattanto, il Garante per la Semplificazione della Lingua era ancora in balìa del suo rapitore. Dopo essere svenuto in garage, si era risvegliato dolorante in una cantina gelida, ammutolito dalla paura e legato da almeno tre metri di nastro da pacchi marrone. Non poteva vedere il suo aguzzino perché costui gli camminava alle spalle, ma era costretto ad ascoltarlo mentre declamava pagine e pagine dell'*Emilio* di Jean-Jacques Rousseau. Il fatto che l'uomo leggesse masticando un bignè alla crema chantilly prelevato dal vassoio che gli aveva appena rubato rendeva la tortura ancor più disumana. Terminata la lettura, il terrorista avvicinò la bocca all'orecchio del rapito, che con disgusto ne percepì l'alito.

"Dunque, vediamo, signor Garante per la Semplificazione della Lingua Italiana... Le è piaciuto Jean-Jacques? Un po' stucchevole, no? Io adesso direi di concederci qualcosa di un po' più sostanzioso... Ha mai sentito parlare di *Horcynus Orca* di Stefano D'Arrigo?"

Il Garante si dimenò sulla sedia e l'aguzzino sorrise radioso, pavoneggiandosi in una sahariana color kaki che sarebbe stata bene a Bruce Chatwin.

"Non le piace D'Arrigo? E che ne direbbe allora di un assaggio del saggio *La cosa* (*Das Ding*) di Martin Heidegger nella traduzione di Gianni Vattimo pubblicata da Mursia nel 1976 all'interno del volume *Saggi e discorsi*? Le va? Pensi quante belle parole da cancellare..."

Il Garante della Lingua si dibatté con più forza. Avrebbe voluto gridare:

"Heidegger no! Heidegger no!", anche se Heidegger non lo aveva mai letto. Spietato l'aguzzino spalancò il libro:

Tuttavia se partiamo dall'oggettività dell'oggetto (*Gegenstand*) e di ciò che è autonomo (*Selbststand*) non troveremo mai la via alla cosalità della cosa.

I mugolii del Garante si fecero più strazianti, ma non mossero il rapitore a pietà.

Che cos'è che costituisce la cosa in quanto cosa? Che cos'è la cosa in sé? Potremmo arrivare alla cosa in sé solo quando il nostro pensiero avrà raggiunto anzitutto, finalmente, la cosa come cosa.

Sentendo la locuzione "la cosa come cosa", il Garante della lingua ebbe un cedimento, ma il terrorista se ne avvide e, appena prima che perdesse coscienza, lo svegliò con uno schiaffo. Poi il rapitore procedette al colpo finale.

Più esattamente che og-getto (*Gegenstand*), possiamo dire: pro-veniente anzitutto, il pro-venire nel senso del 'derivare da...', sia che la cosa si produca da se stessa o sia fabbricata; in secondo luogo, il pro-venire nel senso del pervenire e sussistere (*Hereinstehen*) di ciò che è prodotto nella disvelatezza del già-presente.

La testa del Garante crollò esanime sul busto. Era svenuto di nuovo.

29.

Il bar dove Olivia si fermò a prendere cappuccino e brioche era pieno di pensionati che giocavano a videopoker. L'unica che parlava era la barista cinese, ma parlava da sola e parlava in cinese. Non sapendo cosa rispondere, Olivia raccattò un giornale spiegazzato da un tavolino. Contrariamente alle promesse del primo Primo ministro i campi rom non erano stati rasi al suolo, ma riconvertiti per legge in parchi di divertimento dove, munendosi di regolare biglietto, ci si poteva sfogare sparando proiettili di gomma sulle roulotte e sui loro occupanti che perciò ottenevano dallo Stato il 30 per cento degli incassi. L'offerta premium prevedeva perfino la possibilità di un piccolo pogrom. Olivia posò il giornale e uscì.

Fuori faceva freddissimo. Bisognava tenere le mani affondate nelle tasche del cappotto. Lo studio del notaio Scracco era a dieci minuti a piedi. Per strada i poveri non c'erano più. L'Italia sembrava essersi trasformata in una specie di Svizzera. La gente pareva più tranquilla, pacificata, ma non più felice. Svizzeri, appunto. Tra il cielo e la terra si era distesa un'unica nuvola immensa che aveva il colore del ghiaccio e premeva immobile sopra Milano. Guardandosi intorno, Olivia si accorse che i poveri c'erano ancora, solo che erano stati

inquadrati per impersonare se stessi secondo le regole impo-
ste dal governo. La povertà si era trasformata in un lavoro, in
una corporazione fondamentale per il buon funzionamento
della società. La presenza dei molto poveri era un anestetico
che serviva a far sentire i meno poveri quasi ricchi.

I clandestini soggiornavano davanti alle chiese e sulle
panchine dei giardinetti, e avevano il permesso di chiedere
l'elemosina e di spacciare se ne avevano voglia, a patto di essere registrati negli uffici del Comune e di esporre il badge
bene in vista.

Il cambiamento più impressionante, però, riguardava il
silenzio. All'aperto nessuno parlava più e quando accadeva
la lingua sembrava regredita a uno stadio gutturale. L'intelligenza esisteva ancora, ma si nascondeva per paura dell'ignoranza.

Il notaio Scracco fu molto cordiale, come sempre. Abbracciò Olivia con calore paterno. La fine del suo amico Giovanni
lo amareggiava moltissimo. Le disse che secondo lui vendere
casa era la decisione giusta anche perché la richiesta di danni
era stata rigettata dal giudice di primo grado con le seguenti
motivazioni: "La morte, ancorché violenta, è stata favorita dal
comportamento incauto, quand'anche non intenzionalmente
provocatorio, messo in atto dal Prospero".

Quando Olivia uscì dallo studio era già buio e sulla città
cominciavano a cadere coriandoli sporchi di ghiaccio e
smog, che si scioglievano a contatto con l'asfalto, la pelle, i
tessuti, le foglie degli alberi, le automobili. Dalla bocca le
uscivano a ogni respiro brevi sbuffi di aria umida e bianca.

30.

Alle 7 del mattino i tetti e le strade erano diventati bianchi come le automobili, i davanzali, le piante ornamentali e gli alberi nei viali.

7.18. L'alba era appena iniziata e i preparativi della grande adunata di piazzale Loreto a buon punto. Olivia guardò fuori dalla finestra, stringendo nella mano destra la prima tazza di caffè della giornata. Le orme dei passanti e le ruote delle automobili non avevano ancora scalfito l'intonso, tutto era bianco. In attesa dell'incontro con Cesare, Olivia decise di uscire. Si sarebbe liberata di ogni cosa: biancheria, posate, pentole, cuscini, forbicine delle unghie, quadri, cornici, fermaporte, tagliacarte, cavatappi. Voleva che la sua vita ricominciasse bianca come il cortile che stava osservando al di là della finestra. Si vestì in fretta, poi tornò in stanza a prendere il borsone con le ceneri che, nonostante i caloriferi al massimo, immaginava fredde.

8.30. Tranne qualche proprietario di cane e fanatico con gli sci da fondo, ai Giardini pubblici non c'era nessuno. Dal cielo cadeva ancora la neve. Olivia camminava fumando, i passi che scricchiolavano nel silenzio. Il peso della borsa che cominciava a segarle le dita gelate. Passò davanti al Civico Planetario, donato alla città dal libraio Ulrico Hoepli nel 1930, un'epoca in cui, nonostante il fascismo, si poteva ancora diventare ricchi commendatori facendo i librai. Arrivò al Museo di Storia Naturale nell'istante in cui apriva. Dall'ultima volta erano passati trent'anni, eppure la commessa era ancora la stessa. Olivia si diresse nella sala del triceratopo. Se li ricordava bene i saloni popolati da migliaia di animali impagliati, alcuni messi in scena in grandi diorami che ricostruivano scene di caccia nella savana, nella taiga, nei fiordi o ai poli. C'erano tigri che assaltavano cervi, orsi bruni canadesi che mangiavano salmoni grandi come scolari, orsi bianchi groenlandesi che sgranocchiavano ermellini, trichechi che osservavano duelli di narvali, leoni che divoravano bufali e un leopardo che digeriva un'antilope in cima a un baobab. E infine c'era il suo preferito: il diorama subacqueo dell'inia, il delfino bianco del Rio delle Amazzoni, di cui Olivia sapeva soltanto che il suo canto d'amore era uguale al pianto di un bambino. Le sale vuote non erano cambiate, immobili, spolverate ogni giorno, abitate da centinaia di occhi di vetro colorato che sembravano aspettarla.

Uscì che erano le 11 passate. Ritirò la borsa al guardaroba e discese la scalinata all'ingresso. Nevicava ancora. Olivia superò le giostre, gli autoscontri e giunse al grande albero sotto cui si fermava suo padre. Ogni volta le diceva "è una metasequoia" perché il nome gli piaceva da pazzi, al punto che ci rimase malissimo quando un suo amico botanico gli spiegò che si trattava di un più comune cipresso calvo o delle paludi. Qualunque fosse il suo nome, l'albero era magnifico: alto quasi trenta metri, verde in primavera, rosso fuoco in autunno, e bianco in inverno; il tronco aveva una circonferenza di oltre sei metri, che per abbracciarlo ci volevano sei bambini e tre adulti. Intorno a Olivia correvano tutti, i cani impazziti di gioia e gli umani attenti a non scivolare. Aspirò una boccata profonda e la cenere le cadde tra i piedi, rimanendo sulla neve tra le radici. Si chinò per aprire la lampo del borsone e prese la federa dove aveva travasato le ceneri.

Slacciò il nodo e, tenendo i lembi con entrambe le mani, si avvicinò all'albero. Si fermò, poi si affacciò dentro il sacco: "Papà, ti ricordi la metasequoia, vero?". Si voltò verso il tronco: "E tu, metasequoia, ti ricordi mio padre?".

Piegata in avanti e con le gambe un po' larghe, Olivia cominciò a girare intorno all'albero, lentamente, versando la cenere in modo da disegnare un cerchio grigio sulla neve. Aveva inventato la cerimonia più stupida del mondo, ne era cosciente, però la faceva sentire meglio, una specie di squaw che restituiva alla terra quello che dalla terra si era separato. L'ultimo sbuffo di cenere esalò dalla federa e si depositò sulla neve. Il circolo si era compiuto.

Olivia appallottolò la federa nella borsa e andò a depositare il fagotto nel primo cestino. Si sentiva un po' sciocca, ma anche libera e vera. Intorno alla metasequoia adesso stavano giocando alcuni cani che si sarebbero sporcati. Era quasi l'ora dell'appuntamento. Olivia si diresse verso la fontana, passando di fianco al trenino, circondato da nani di gesso. Mancavano quindici minuti e Cesare non era ancora arrivato. Olivia decise di fare un giro nell'area che più di vent'anni prima aveva ospitato lo zoo. Intorno a quella che un tempo era la vasca delle foche, e davanti alle gabbie dove erano rinchiusi i grandi felini, si era radunata una piccola folla. Olivia si fece strada tra i gomiti, le schiene e le pance, sollevandosi in punta di piedi per vedere che cosa accadeva. All'inizio non capì, non riconobbe. Poi il cervello le mostrò quello che i suoi occhi avevano già registrato. In piedi dentro la vasca Clelia e Anna, vestite come scolarette durante la Guerra di secessione americana, camminavano su e giù leggendo ad alta voce *Piccole donne* di Louise May Alcott. Pronunciavano le loro battute con straniante naturalezza. Clelia sporgeva addirittura il labbro inferiore in avanti per fare il broncio:

"Non credo che nessuna di voi abbia da soffrire quanto me," disse Amy, "voialtre non andate a scuola e non dovete stare con ragazze impertinenti che vi tormentano se non sapete la lezione, vi canzonano perché non avete un bel vestito o perché vostro padre non è ricco, e v'insultano perché non avete un naso greco!"

Anna portò la mano alla fronte:

"Ah! se ci fosse ora un po' di quel denaro che papà perdette quando eravamo piccole! Che bella cosa, eh, Jo? Come saremmo buone e ubbidienti, se non avessimo alcun pensiero!" disse Meg che si ricordava di tempi migliori."

La gente le osservava incuriosita, e forse le ascoltava perfino. Gli spettatori erano passanti, operai in pausa pranzo, rider in bici che si fermavano un minuto a rollarsi una sigaretta, mamme con i bambini per mano. Era evidente che Anna e Clelia si erano preparate per bene scegliendo con cura cerchietti, calze bianche coprenti e scarpette con la fibbia. Un bambino sui dieci anni tirò la mano di sua madre:
"Chi sono quelle signore, mamma?".
"Sono intellettuali, Arturo."
"E che cos'è un intellettuale, mamma?"
"Qualcuno che legge molto e usa parole difficili, suppongo."
"E a che cosa serve?"
"Questo devi chiederlo a tuo padre."
Olivia fece un passo indietro. Le mancava il fiato e voleva capire che cosa stava succedendo più in là, vicino alla gabbia dei leoni, dove c'era ancora più gente. Riuscì a farsi largo fin sotto le sbarre, ma dentro la gabbia non c'era nessuno. Il vicino, un ragazzo allampanato con un pomo d'Adamo aguzzo che lo faceva assomigliare a un uccello, la tranquillizzò:

"Non si preoccupi, signora, fa sempre così, poco prima della fine scompare per far crescere il climax, poi però torna".

Il ragazzo non aveva ancora finito la frase quando in fondo alla gabbia si mosse qualcosa. Dalla grotta artificiale, concepita per illudere gli uomini più che le bestie, della naturalezza del luogo, uscì un uomo avvolto in un mantello nerissimo da cui spuntavano soltanto gli occhi. Fece due passi e si fermò al centro dello spazio dopodiché, con un gesto plateale, scostò il mantello per mostrare il volto. Olivia strabuzzò gli occhi, sbalordita. Era Cesare, che cominciò a declamare ad alta voce un piccolo libro:

> Dopo andò a guardarsi allo specchio, e gli parve d'essere un altro. Non vide più riflessa la solita immagine della marionetta di legno, ma vide l'immagine vispa e intelligente di un bel fanciullo coi capelli castagni, cogli occhi celesti e con un'aria allegra e festosa come una pasqua di rose.
>
> In mezzo a tutte queste meraviglie, che si succedevano le une alle altre, Pinocchio non sapeva più nemmeno lui se era desto davvero o se sognava sempre a occhi aperti.

Nessuno applaudiva. Nessuno fischiava. Semplicemente ascoltavano, ipnotizzati come falene da una candela. A differenza di Clelia, Cesare rimaneva immobile, ritto sulle gambe, e leggeva con voce stentorea e pause perfette, in modo da farcrescere il ritmo senza perdere il contatto con il pubblico:

> "Levatemi una curiosità, babbino: ma come si spiega tutto questo cambiamento improvviso?"

Cesare pronunciò l'ultima parola come se fosse l'ultima al mondo. Dopodiché fece un inchino, si nascose di nuovo sotto il mantello e, arretrando, sparì nella grotta. Si muoveva a fatica, zoppicava, ma si muoveva da attore. Erano le 11:45, in perfetto orario per l'incontro.

31.

Cosma era uscito di casa all'alba, facendo attenzione a non svegliare la madre che dormiva annientata dai sonniferi. Era sceso nel cortile innevato e, quando aveva visto il furgone, aveva pensato che lo stava aspettando come un cavallo ubbidiente. Prima di mettere in moto si era guardato nello specchietto retrovisore: aveva la pelle pallida e già sudata nonostante il freddo e l'assenza del sole, ma adesso negli occhi gli luccicava il riscatto. Si era voltato a controllare che i libri fossero al loro posto, poi aveva aperto lo sportellino davanti al sedile del passeggero per prendere un pacchetto di sigarette ciancicato e lo Zippo. Il motore girava con calma e il fumo sbuffava dalla marmitta disperdendosi nell'aria piena di nebbia. Le gomme si mossero sulla neve e il furgone raggiunse la strada. Il piano era arrivare alle 7, mezz'ora prima che la polizia transennasse la zona, e salire le rampe fino all'ultimo piano del silos.

Alle 8 la piazza aveva cominciato a riempirsi. Cosma osservava tutto dalla terrazza attento ad abbassare la testa se passava il custode o arrivava un'altra automobile. Dal basso saliva un vociare informe e potente che ricordava il verso di un animale abnorme. Intorno alle 9 Cosma si era affacciato dal finestrino per prendere aria perché l'abitacolo puzzava di benzina e alle 10, dopo essersi assicurato che nei paraggi non ci fosse nessuno, era sceso per sgranchirsi le gambe e si era spinto fino al ballatoio per guardare la folla. Cercava un barlume di umanità, invece da lassù quelle persone erano minuscole, sembravano insetti. Prima delle 11 era una fiumana. Piazzale Loreto e le vie circostanti erano state invase e non si vedeva la neve. Il popolo si era presentato al gran completo. Erano famiglie in ghingheri che trascinavano le borse frigo per il picnic, e intere scolaresche, valanghe di curiosi, falangi di fan e schiere di elettori. Arrivati a milioni per ammirare da vicino il nuovo Primo ministro, in carne e ossa, per sentire la sua voce e respirare la sua aria e protestare insieme a lui contro il rapimento del Garante per la Semplificazione della Lingua Italiana, animati dal sincero terrore che qualcuno riuscisse a complicarla di nuovo.

Alle 11.40, quando il Primo ministro comparve, un boato si impennò dal basso. Cosma alzò il volume della radio sintonizzata sulla diretta dell'evento. La voce concitata dell'inviato riempì l'abitacolo:

"Il nostro nuovo ministro è testé giunto a piazzale Loreto e dopo avere salutato la folla festante ha raggiunto il palco d'onore con tre atletici balzi".

Cosma avvicinò gli occhi allo specchietto e, per la prima volta in vita sua, percepì lo sguardo di un uomo. Ascoltò gli applausi e le urla della folla che salivano dalla piazza confondersi in stereo con quelle che uscivano dagli altoparlanti dell'autoradio. Poi contò fino a dieci. La voce sempre più esaltata dell'inviato continuava il racconto:

"In questo istante il nostro nuovo ministro ha sollevato una mano e il popolo ha riso. C'è un entusiasmo indescrivibile. Nell'aria si respira una frenesia d'amore e di applausi".

Cosma girò la chiave nel quadro e il motore si accese. Alla voce nella radio mancava il fiato per l'emozione.

"Ecco, ecco, sta per parlare, ha avvicinato la bocca al microfono..."

Il parapetto era basso, lo avrebbe facilmente sfondato. Cosma innestò la retromarcia per prendere la rincorsa e dopo una ventina di metri si arrestò. Ora la folla e la radio tacevano in attesa che il ministro esordisse. Cosma accese lo Zippo con il pollice, poi spinse il piede destro sull'acceleratore tenendo premuta la frizione. Fece ruggire il motore e il custode cingalese del garage si accorse di lui. I loro occhi si incrociarono per qualche secondo, poi il piede sinistro di Cosma lasciò andare la frizione. Il furgone scattò in avanti accelerando, travolse il parapetto e prese il volo e, mentre volava, Cosma gettò l'accendino nel retro tra i libri impregnati di benzina che si incendiarono all'istante.

"Amici, amiche, come siete belli! Siete quantissimi!"

Qualcuno da sotto pensò a una cometa o a un meteorite, ma nessuno ebbe la presenza di spirito di spostarsi, scappare o lanciare l'allarme, insomma di impedire che un furgone in fiamme si abbattesse al suolo in mezzo alla gente adunata, provocando un'esplosione di fiamme, carta, carne e lamiere.

32.

Cesare e Olivia alzarono gli occhi verso le cime degli alberi.

"Che cos'è stato?" chiese Olivia.

"Un fiocco di neve grandissimo," disse Cesare.

"Sembrava una bomba," disse Olivia. Cesare annuì e si appoggiò alla fontana: "Forse è scoppiata la guerra".

Ora si era fatto silenzio.

"Andiamo a vedere," disse Olivia.

Cesare mosse un piede.

"Scusami se vado lento... Dovrei farmi operare."

"Ti aspetto," e lo prese sottobraccio.

"E se poi arriviamo quando la guerra è finita?"

Nel cielo bianco la neve bianca continuava a volare. In lontananza si sentirono le sirene delle prime ambulanze. Cesare le strinse la mano senza dire niente e Olivia notò che sul suo cappotto scuro, insieme alla neve, si stava posando qualche fiocco più grigio, che pareva di cenere. Guardarono il cielo, caligine. Forse il boato di poco prima non era una bomba. Forse era un incendio: stava bruciando un deposito di carta, l'archivio di Stato, e tutte le informazioni che aveva custodito per secoli stavano tornando alla terra trasformate in coriandoli. Come suo papà tra le radici della metasequoia.

La neve, la cenere, il passato potevano essere cancellati perché al mondo ogni tanto veniva la smania di ricominciare da capo. Per questo era stata inventata la guerra. Olivia osservò la faccia da indio di Cesare, i capelli bianchi un po' lunghi, le rughe intorno agli occhi, e all'improvviso gli apparve vecchissimo, antico. Lui se ne accorse e strinse le palpebre.

"In effetti, sono uno degli ultimi esemplari sopravvissuti di intellettuale europeo."

A Olivia venne in mente il triceratopo.

"Per questo stavi dentro una gabbia allo zoo?"

"È un'iniziativa del ministero. L'hanno chiamata Museo vivente volontario dell'intellettuale e del radical chic."

"A che cosa serve?"

"A niente. È come l'apertura al pubblico dei campi rom. Imbalsamano quelli che li disturbano per far vedere che appartengono al passato. Li trasformano in fenomeni da baraccone."

"Ma non è umiliante?"

"Un po' sì, ma più o meno è quello che facevamo prima, ai festival e alle presentazioni, solo che adesso il pubblico compra il biglietto."

"Guadagnate tanto?"

"Ma va', ci ripaghiamo più o meno il bollino annuale per l'iscrizione al Registro dei Radical Chic."

"E se vi rifiutate?"

"Non ci versano la pensione."

Cesare si fermò a riprendere fiato. Alle sirene delle ambulanze si era aggiunto un vociare agitato e indistinto, ma ogni suono arrivava in lontananza, ovattato, come sotto una cupola. Nessuno dei due aveva fretta di andare a vedere. Non guardarono il cielo. Olivia soffiò il vapore ghiacciato del respiro, poi abbassò gli occhi sul sentiero costellato di castagne matte. Cesare la osservava pensando che, benché lei avesse superato i quarant'anni, le guance le si arrossavano come quando era bambina. Il vecchio allungò un dito e le posò il polpastrello sulla punta del naso.

"Ci ho pensato molto, sai. Non è vero che gli intellettuali non servono a niente."

"Ah no? E a che cosa servirebbero?"

"A sentirsi meno soli."

Olivia sollevò le sopracciglia, perplessa.

"Che cosa c'entra la solitudine?"

Cesare le strinse piano l'avambraccio e si mossero.

"Le cose dentro i libri dimostrano che le cose dentro le persone si assomigliano."

"Davvero? È tanto che non leggo un libro."

"È perché vuoi stare sola."

Olivia si infilò una mano in tasca: forse Cesare aveva ragione, ma per non dargli soddisfazione si accese una sigaretta. Lui gliela prese dalle labbra e tirò una boccata, tenendola tra pollice e indice.

"È tanto che non fumo, dai tempi dell'infarto. Ti dispiace se la tengo?"

Olivia voltò la testa verso il prato. Intorno al suo albero un gruppo di bambini giocava a nascondino nella neve. Lo scoppio non li aveva interrotti, avevano cose più importanti da fare. Il braccio di Cesare, caldo sul fianco, le ricordava quello di suo padre. Era vero, le persone leggono i libri e ascoltano chi li legge – perfino Anna e Clelia – per sapere che dalla vita qualcuno ci è già passato, per sapere che gli altri non sono estranei, marziani, anche se spesso lo sembrano.

"La cultura non è una cosa fumosa," disse Cesare con la voce di chi non è più abituato a fumare. "La cultura sono le strade su cui camminiamo, le case dove abitiamo, le parole che ci girano in bocca e che qualche altro umano, decine di migliaia di anni fa, chissà perché, ha inventato. È l'albero intorno a cui stanno correndo quei bambini e che continui a guardare, i botanici credevano fosse estinto dal Pliocene, invece fu ritrovato in Cina e qualcuno, chissà perché, lo trapiantò a Milano."

"Com'è che sai tutto di quell'albero?"

"Tuo padre non parlava d'altro."

Olivia si fermò, costringendo Cesare a fare lo stesso, poi disse:

"Non sono stati gli intellettuali a fare queste cose".

"No, ma esistono a una sola condizione: che ci sia la verità e che il cervello e le parole siano gli strumenti per cercarla e dirsela." Cesare masticò il fumo appena aspirato: "La cultura è una scommessa sul fatto che alla fine ci si possa capire. Per questo può dare fastidio".

Olivia rivide l'immagine del cadavere di suo padre all'obitorio e strinse le spalle dentro il cappotto. Erano arrivati sul retro del Museo di Storia Naturale e i rumori del mondo adesso si erano fatti più forti, le voci, soprattutto, mischiate tra loro e ai passi di gente di corsa.

"Che cosa succederà adesso?"

"A forza di semplificare la guerra è diventata l'unica soluzione."

"E noi da che parte staremo?"

"Da nessuna, credo. Per quelli come me non c'è posto."

"Ma non si può stare zitti."

"In guerra, Olivia, le parole non le ascolta nessuno. Hanno vinto loro, per un po'."

"Mio papà si è ribellato, però."

"Lui, sì," disse Cesare, abbassando gli occhi a terra e dando un calcetto a una castagna.

Olivia si voltò. In fondo al viale che avevano appena percorso, i bambini stavano ancora giocando a nascondino. Correvano incontro e lontano dall'albero, che era la tana, e con i piedi mischiavano la cenere alla neve. Cesare gettò il mozzicone lontano, facendo scattare il medio sul pollice.

"Sai quanti nomi ci sono in italiano per questo gesto?"

Olivia scosse la testa. Cesare si osservò le unghie e cominciò a elencare.

"Schicchera, ammuttare, ziccaddata, santillo, pinghella, pingella, pingleda, cricco, criccotto, puffetto, cicco, cicchetto, baciccola, bicellata, micellata, besticco, bistecco, quattrìo, ciunchin, gogula, gogulada, bodula, bodulada, schicca, tötc, ghiga, schioccadita, tips, tipitip, pistonco, zicchittune, zicchinetta, ammuttari, biscotto, biscottino, buffetto, nocchino, pizatol, pittlo, pittio, scorza..."

Olivia era incredula. "Mio padre lo chiamava 'zipperlì'," disse sforzandosi di farsi sentire.

"... zipperlì," annotò Cesare.

Dalla sua bocca uscì una nuvola di vapore, come se stesse ancora fumando, poi avvicinò la testa a quella di Olivia e le sussurrò in segreto:

"Stiamo imparando a memoria il *Dizionario delle parole abolite*".

"Le imparate tutte?"

"Anche quelle non ancora abolite perché non sono state trovate."

"E che cosa volete farne?"

"Custodirle. Una ciascuno."

Olivia osservò i suoi occhi, ridevano.

"Io ho scelto 'temulento'. Vuol dire 'ubriaco'. Tu che parola vuoi essere?"

Olivia non rispose perché erano davanti al cancello. Si affacciarono sul corso dove migliaia di persone cercavano di raggiungere il luogo dello scoppio o di scappare verso il centro. Qualcuno gridava e qualcuno cadeva scontrandosi contro chi arrivava dalla direzione opposta. La folla ondeggiava paralizzata da se stessa. Un'autoambulanza, imprigionata in mezzo alla strada, tentava di avanzare urtando quelli che si trovava davanti. Oltre il corso, dai viali, giungeva il fragore dei clacson e di altre sirene di pompieri, ambulanze, polizia. Una ragazza arrampicata su un palo gridava in una lingua che nessuno capiva. Un'ombra coprì il viale. Cesare e Olivia, immobili sul gradino che delimitava la soglia tra parco e città, alzarono la testa per guardare il cielo che era stato offuscato da una nuvola nera. Non nevicava quasi più. Ormai cadeva soltanto una pioggia di carta bruciata.

Come il lettore ha certamente notato, la revisione del testo da parte del Funzionario Redattore Ugo Nucci (*Frun*) si interrompe bruscamente a pagina 99 con la nota 50. L'interruzione è dovuta a una semplice ragione: da quella pagina in poi, il funzionario Frun si è reso irreperibile. Vani sono stati tutti gli sforzi profusi da questa agenzia per rintracciarlo. Le modalità della sparizione, a tutt'oggi misteriose, fanno pensare a una scelta deliberata e pianificata. In altre parole, il funzionario Frun potrebbe essere passato dalla parte dei ribelli e alcuni sospettano, addirittura, che sia coinvolto nella scomparsa del dottor Garante, sottratto alla famiglia e ai suoi doveri la sera dell'8 dicembre dopo una sosta in pasticceria.

Funzionario Redattore Capo Salvo Pelucco, Autorità Garante per la Semplificazione della Lingua Italiana (II sez.)